大家小书

司马迁

季镇淮 著

北京出版集团公司
北京出版社

图书在版编目（CIP）数据

司马迁 / 季镇淮著．— 北京：北京出版社，2016.7

（大家小书）

ISBN 978-7-200-12081-3

Ⅰ．①司… Ⅱ．①季… Ⅲ．①司马迁（约前145或前135～？）—传记 Ⅳ．①K825.81

中国版本图书馆CIP数据核字（2016）第077477号

总策划：安　东　高立志　　责任编辑：韩敬群　严　艳

· 大家小书 ·

司马迁

SIMA QIAN

季镇淮　著

*

北京出版集团公司
北京出版社　出版

（北京北三环中路6号　邮政编码：100120）

网　址：www.bph.com.cn

北京出版集团公司总发行

新华书店经销

北京华联印刷有限公司印刷

*

880毫米×1230毫米　32开本　6.75印张　110千字

2016年7月第1版　2018年5月第3次印刷

ISBN 978-7-200-12081-3

定价：32.00元

质量监督电话：010-58572393

司马迁像

——采自明代王圻辑《三才图会》

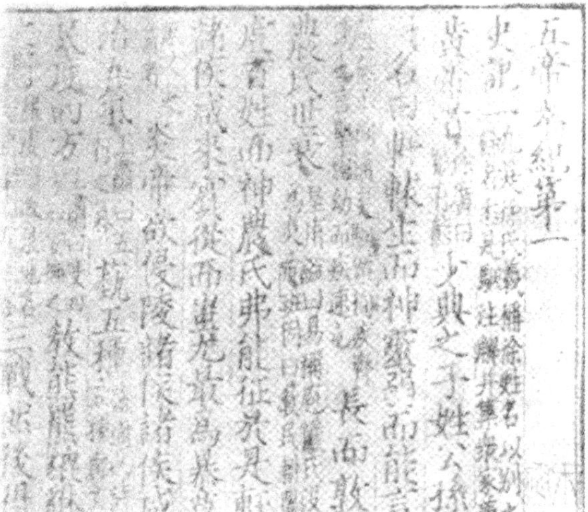

五帝本紀第一

史記一

黃帝者少典之子姓公孫名曰軒轅生而神靈弱而能言幼而徇齊長而敦敏成而聰明軒轅之時神農氏世衰諸侯相侵伐暴虐百姓而神農氏弗能征於是軒轅乃習用干戈以征不享諸侯咸來賓從而蚩尤最為暴莫能伐炎帝欲侵陵諸侯諸侯咸歸軒轅軒轅乃修德振兵治五氣蓺五種撫萬民度四方教熊羆貔貅貙虎以與炎帝戰於阪泉之野三戰

书影一

——《史记》宋刊本

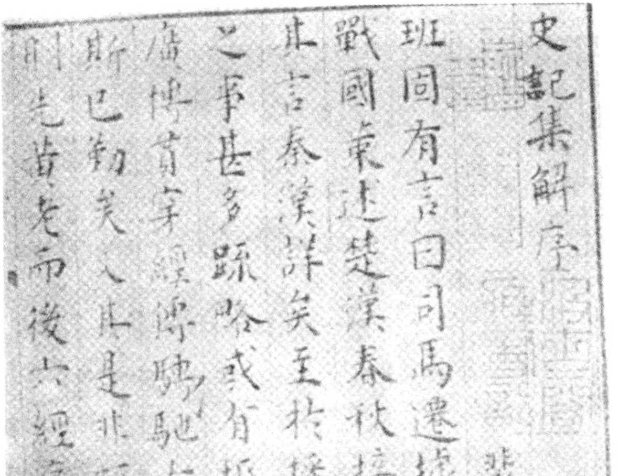

史記集解序　裴駰

班固有言曰司馬遷據左氏國語采世本
戰國策述楚漢春秋接其後事訖于天漢
其言秦漢詳矣至於採經摭傳分散數家
之事甚多疏略或有抵捂亦其所涉獵者
廣博貫穿經傳馳騁古今上下數千載間
斯已勤矣又其是非頗謬於聖人論大道
則先黃老而後六經序游俠則退處士而

书影 二

——裴骃《史记集解序》

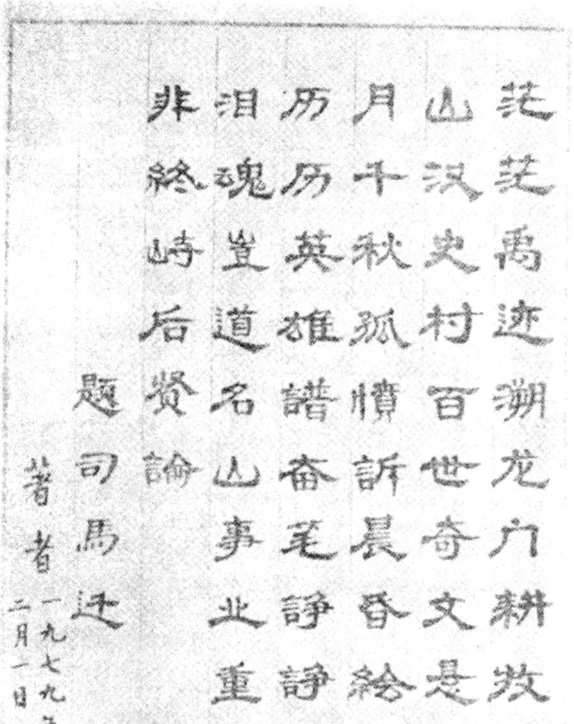
茫茫禹迹溯龙门耕牧河
山汉史村百世奇文是日
月千秋孤憤訴晨昏給心
历历英雄譜奮筆諍諍血
泪魂豈道名山事业重是
非終峙后賢論
題司馬迁
著者
一九七九年二月一日

作者季镇淮诗题司马迁

序　　言

袁行霈

“大家小书”，是一个很俏皮的名称。此所谓“大家”，包括两方面的含义：一、书的作者是大家；二、书是写给大家看的，是大家的读物。所谓“小书”者，只是就其篇幅而言，篇幅显得小一些罢了。若论学术性则不但不轻，有些倒是相当重。其实，篇幅大小也是相对的，一部书十万字，在今天的印刷条件下，似乎算小书，若在老子、孔子的时代，又何尝就小呢？

编辑这套丛书，有一个用意就是节省读者的时间，让读者在较短的时间内获得较多的知识。在信息爆炸的时代，人们要学的东西太多了。补习，遂成为经常的需要。如果不善于补习，东抓一把，西抓一把，今天补这，明天补那，效果未必很好。如果把读书当成吃补药，还会失去读书时应有的那份从容和快乐。这套丛书每本的篇幅都小，读者即使细细地阅读慢慢地体味，也花不了多少时间，可以充分享受读书的乐趣。如果把它们当成补药来吃也行，剂量小，吃起来方便，消化起来也容易。

我们还有一个用意，就是想做一点文化积累的工作。把那些经过时间考验的、读者认同的著作，搜集到一起印刷出版，使之不至于泯没。有些书曾经畅销一时，但现在已经不容易得到；有些书当时或许没有引起很多人注意，但时间证明它们价值不菲。这两类书都需要挖掘出来，让它们重现光芒。科技类的图书偏重实用，一过时就不会有太多读者了，除了研究科技史的人还要用到之外。人文科学则不然，有许多书是常读常新的。然而，这套丛书也不都是旧书的重版，我们也想请一些著名的学者新写一些学术性和普及性兼备的小书，以满足读者日益增长的需求。

“大家小书”的开本不大，读者可以揣进衣兜里，随时随地掏出来读上几页。在路边等人的时候，在排队买戏票的时候，在车上、在公园里，都可以读。这样的读者多了，会为社会增添一些文化的色彩和学习的气氛，岂不是一件好事吗？

“大家小书”出版在即，出版社同志命我撰序说明原委。既然这套丛书标示书之小，序言当然也应以短小为宜。该说的都说了，就此搁笔吧。

《司马迁》新版序

夏晓虹

季镇淮先生是我的研究生导师。一般说来，应该是老师为学生作序。但这在我却是第二次例外。季师在世时，我协助他编过一本《来之文录》，那是他治学近五十年的第一次文章结集，可想而知其分量之重。先生谦虚，认为我既已编辑全书，熟悉他的学术思路，一再要求我写一篇序言。推卸不得，我只好“奉命惟谨”。依仗先生的信任，我也大胆放言。先生并不以为不恭，反而表示欣赏，让我切身体会到前辈学者的大度。

这次作序，已在镇淮师过世四年后。北京出版社计划组织一套“大家小书”，将先生的《司马迁》一书列入，这是很有眼光的选择。应编辑的邀约，我也自觉义不容辞，希望能借机从书里谈到书外，或许对读者理解此书有些许帮助。

还在我开始跟随镇淮师读书不久，一位做中国古典文学研究的学者在知道我的师从后，对我说的第一句话便是："季先生的《司马迁》写得很精彩。"那时我还没看过此书。以后编《来之文录》，发现先生的研究重心集中在先秦两汉、唐代与近代三段，而分别以司马迁、韩愈和龚自珍三位作家为重中之重。凭着如此深厚的研究功底，写作这一本小书自是厚积薄发，举重若轻。

但先生是一位对自己很严苛的学者，一生都在追求"毫发无遗憾"。因此，在1955年初版《司马迁》的《后记》中，先生自谦地说："笔者过去没写过什么东西，写作和研究的经验都是很差的。"直到1979年修订稿完成时，先生仍于《再版前言》表示："因为我对于《史记》并没有真正深入的研究，青年读者不能希望从这本小书中得到解决难题的锁钥。"而细读过本书后，我却认为，就"大家小书"丛书而言，《司马迁》可算是最合题旨。以大学者的手笔为非专业的读者写作，既要避开那些过于狭隘的专学考据，照顾一般读者的兴趣；又须在概要叙述的同时，显示专家独到的心得。说到底，此类著述真正困难不在"深入"，而是"浅出"。阅读《司马迁》一书，并对照上海人民出版社1955年与1979年前后两个版本，可以使我们对季先生如何化艰深为平易的努力有所体会。

初读此书，立刻可以感觉到行文的轻松、畅达。开篇叙说司马迁的家世，是从远古掌管天地、神人之事的重黎氏而来：

据说历史上有一个时期，人和神住在一起，无法分别谁是人谁是神，人人都在祭祀，家家都为“巫史”，好像个个都能通神似的。大家被祭祀弄得穷困了，结果也不见有什么福气。到了颛顼的时候，他看见这种情形很不对头，就命南正（官名）重专门掌管天上的事情，大会群神，使各就各位，分出一个次序来；又命火正（官名）黎专门掌管地上的事情，大会人民，使各安旧业，不得互相侵犯。这样人和神就分开了，天上的神事和地上的人事就各管各了，这就是所谓“绝地天通”。

这是出自《国语》的一段传说，原来的文字并不好懂：

及少皞之衰也，九黎乱德，民神杂糅，不可方物。夫人作享，家为巫史，无有要质。民匮于祀，而不知其福。……颛顼受之，乃命南正重司天以属神，命火正黎司地以属民，使复旧常，无相侵渎，是谓“绝地天通”。（《楚语》下）

经过季先生纯熟的白话译述，在保留原意之外，更加添了生动的语气。

这样一种流畅自如的行文风格，乃是镇淮师刻意经营的结果。先生早年就读西南联大时，受教于闻一多、朱自清两位导师。闻先生的古典文学研究功力与遣词造句的考究，以及朱先生在《经典常谈》等书中所表现出的平易近人，给他很大启发。我多次听季师表达过同样的意思：古代文学的论文也应该写得像“文章”一样讲究。这并不意味着放弃或减少考辨的工作，而是强调专业著述不该因为填砌材料、文字艰涩拒人于千里之外。除了对于文学根深蒂固的爱好，季先生也认为，文学研究者如果丧失了对语言美感的追求，便愧对研究对象。当然，无可否认，“五四”以来平民化的思潮，经由朱自清先生，也给予镇淮师潜在的深刻影响。无论何时，为尽可能多的读者写作，对他来说，都是毋庸置疑的信念。

这在《司马迁》一书的修改本中也有体现。从章节目录看，最引人注目的变化是，初版中一些借用太史公语的题目已改为作者直陈，如“仕为郎中”之易为“入仕”，“奉使西征巴蜀以南”之去掉后四字，“从负薪塞宣房”之减省为“负薪塞河”，后者无疑比前者更简明易懂。

而从文学性考虑，季先生也用了很多心思。在《司马迁》

初版《后记》中，他已经指出："人物传记基本上是属于历史科学的范畴的，它不允许驰骋想象。"为保证本书高度的学术水准，便必须充分占有相关资料，力求竭泽而渔。前人已有的著述，无论成书、单篇还是片段，凡有助于说明问题者，镇淮师都酌加利用。尤为突出的是，1979年重新修订此书时，增添的文字中，即十分注意征引最新的考古发现。如关于司马迁写作《史记》的《基本方法和基本态度》一节，引用1973年在长沙马王堆汉墓出土的战国纵横家文献，证明《史记》中也有非信史的记载；又吸纳1968年河北满城汉中山靖王墓的发掘、研究成果，肯定司马迁在《五宗世家》对刘胜骄奢淫逸的描写确是实录。

不过，这种言必有据的审慎并未妨碍本文的顺畅，化繁为简的运用资料固然是一种适当的办法，尽量把复杂的考证从正文中分离出来，放入注释，也是季先生常用的手段。这样的例证非常多，随便举一则：《入仕》节记述司马迁大概在公元前122年至前116年间开始入仕。此处有注说明根据：

> 司马迁《报任安书》（载《汉书·司马迁传》）说："仆赖先人绪业，得待罪辇毂下二十余年矣。"按：王国维定司马迁此书写于太始四年（公元前93年），其

说较诸家为胜（见王国维《太史公行年考》）。由此上推二十余年，则司马迁为郎中时当在元狩元鼎间（公元前122—前116年），亦即在司马迁二十五六至三十岁之间。假定司马迁漫游在元朔三—四年，漫游后三四年内才正式入仕，亦非不可能之事。《史记·太史公自序》说“于是迁仕为郎中”，原不必说漫游后即仕为郎中。

书中其他解释性的注释，如《为太史令》节讲述政治上的“三统”说与历法上的“三正”说之关系；补充性的注释，如《“就极刑而无愠色”》节引证《史记》中老子韩非、孙子吴起、伍子胥等七篇列传的相关文字，以充实本文中司马迁“在若干作品里也就自然地流露了自己的不幸遭遇的隐痛了”的论断。凡此，都是将大量考据的工作压在纸背，极大地发挥了注释的功能，才使正文避免出现赘疣，得以干净、流畅地叙事、议论。

强调行文的平易，就古典文学研究著述而言，其实是很高的要求。近代著名学者梁启超从文言转为白话写作时，也曾苦恼于“字不够用”，原因是现代白话文作为通行的书面语推广的初期，很多文言词汇尚未“白话化”（见梁启超《晚清两大家诗抄题辞》）。论述的内容（古典）与表达的形式（现代）

之间的矛盾，直到现在，依然困扰着传统文化研究的学者。如何调适文言与白话，既带有古典的气息，又使人容易进入，确实是一门技艺。

季先生撰写本书时，对此亦有考虑。他并未因为《司马迁》是一本以非专业的普通读者为对象的小书，而完全用白话译述取代文言。他喜欢间或在现代语体中插入古文散句，以调节语气。在修订本中，他更指出，其所做的最大改动，是“把司马谈《论六家要旨》和司马迁《报任安书》全篇抄录在书中”。这样做的目的，季先生说是“考虑到文章的重要性和读者参考上的方便”（《再版前言》）。而二文选择的精当，确对传记的叙述有补益之效。《论六家要旨》的问题暂且按下不表。受腐刑对于司马迁写作《史记》是一个关键事件，其本人的思虑在《报任安书》中有淋漓尽致的发抒。季先生虽已在传文各处有片断的引录，却终不如全文呈现，让人一览无余，体味更深。何况，本书的主旨是在展示司马迁作为伟大的历史家与文学家的丰采，《报任安书》之沉痛愤郁，感人至深，正可见太史公的文学长才。显然，阅读全篇的效果不是节录所能达致的。当然，也正是因为有散见的引述为基础，一般读者才可以明白这些不加注释的古文大意。

上述做法，或许可以说是借鉴了班固写作《汉书》往往抄录传主重要文章的先例，但对于文体的缜密思考，季先生的《司马迁》一书应该也是受到了《史记》的影响。在处理古代资料方面，二者同样面临语言转化的难题。因此，论述《史记》语言特点时，首先引起季师关注的便是“古代语言的问题”。他这样解说司马迁的工作：

> 他把那些僵化或涵义不明的词汇和句式，按照当时一般的理解改为通俗易懂的词汇和句式。所以他的整齐（规范化）古代历史的工作，实际也包含着整齐古代语言的工作。

并举《史记·五帝本纪》中的一段文字，与《尚书·尧典》的原文相对照，以显示司马迁是如何“把《尧典》里那些含糊、拗口的古代语言，翻译为明白、流畅的通俗语言”，“目的显然在于使人容易了解，使古代的历史和人物能够鲜明生动起来”（《语言的运用》节）。不消说，这也是季先生致力与用心所在。

由于司马迁主要是以一位伟大的历史家垂名后世，因此，正如季先生所提示的，研究“《史记》的难处，在于它所包含的我国古代文化历史知识的广泛性，需要研究者具有较广泛的现代科学知识，特别是自然科学方面的知识”。这些专深的研究固然必要，却不是普通读者关心的重点，也非一部传记性质的小书所能承担。在此意义上，季先生才会直言，本书不能提供“解决难题的锁钥”（《再版前言》）。而自觉的趋避，则使本书定位准确。按照《后记》中的说法，作者所要达到的目标，一是充分利用现有资料，丰富论述，让司马迁“这位文化伟人的形象能够稍稍突出”；一是“通过那些梳理和说明能够反映当时社会情况的某些方面，以便代替那悬在一边的、社会背景的叙述”。也就是说，此书虽薄，但季先生仍期望能通过为司马迁立传，使读者对当时的社会文化有更多的了解。

如此，也可以明白修订本为何将司马谈的《论六家要旨》全文录入。由于初刊本只节引了总论中的一段文字，并加以概述，对于呈现春秋、战国以来各家学术思想的丰富性以及司马谈的评价，不免显得单薄、有缺失。而司马父子生活时代的学术背景，自然是司马迁撰著《史记》极为重要的思想来源。季先生借此展开的论述，则不仅有利于说明传主的文化传承，也可使读者对春秋、战国直到汉武帝时期的中国学术发展及其现实的应用策略，有一总括的认识。不过，为了集中笔墨，我也注意到，初稿本中过于枝蔓处，如《奉使西征》节有关公孙弘与司马相如对修通西南夷之路的劝诫，《扈从封禅》（原题为《从巡封禅》）节叙写汉武帝元封元年的出兵匈奴，《“遭李陵之祸”》节记述张骞出使西域、李广利攻打大宛等，均予以删节或缩写。这些省略并不会妨碍我们对整个时代氛围的感受。

以上是我重新阅读《司马迁》、比较两个版本所得到的一点印象。如果能够抛砖引玉，使读者诸君对本书发生兴趣，进而引发出更高明的见解，则余愿足矣。

2001年8月2日于伦敦客舍

目　录

再版前言

去年冬天，我在广州，又去海南，遇见一些年轻朋友，有把《司马迁》这本小书拿来要我签名留念的，这真是意想不到的事。我当然感谢年轻同志的这种好意，但总是觉得过意不去。这本小书初版于一九五五年，到现在已二十几年了。在这么长的时间内，对于司马迁和《史记》的研究，我自已没有什么大的进展，同时在学术界也没有出现一本新的专门研究著作。原因可能很多。这里只指出一点，即研究司马迁和《史记》——主要是《史记》的难处，在于它所包含的我国古代文化历史知识的广泛性，需要研究者具有较广泛的现代科学知识，特别是自然科学方面的知识。我提出这一点来，仅供有志于研究《史记》的年轻同志参考。

现在根据一般青年读者阅读的需要和上海人民出版社出版计划的要求，我重印《司马迁》这本小书。在不改变本来面目的基础上，作一些必要的修改和增补。考虑到文章的重要性和读者参考上的方便，我把司马谈《论六家要旨》和司马迁《报任安书》全篇抄录在书中。限于本书体例，对它们没加以文字上的注释，但看了上下文的叙述，一般读者大致还是可以明白其内容意义的。在本书出版后不久，我写过《司马迁是怎样写历史人物传记的》一文，对本书内容有所补充，兹附录于书后。

因为我对于《史记》并没有真正深入的研究，青年读者不能希望从这本小书中得到解决难题的锁钥。如果说，这里还有我多年来读《史记》的一些心得，值得提一提的话，那就是司马迁对战国、秦、汉史即他那个时候的近代和当代历史的“实录”精神，他重视实践和坚持著述理想的精神，以及他把历史学和文学巧妙地结合起来从而开创纪传体史学和传记文学的创新精神，这三点是密不可分的。如果只欣赏司马迁的文章，而忘记他写文章的基本精神，是不可能真正懂得司马迁的文章的价值的。当然我的看法不一定对，希望广大读者不吝指正。

著者

一九七九年二月五日

家世

遥远的世代

据说历史上有一个时期，人和神住在一起，无法分别谁是人谁是神，人人都在祭祀，家家都为“巫史”，好像个个都能通神似的。大家被祭祀弄得穷困了，结果也不见有什么福气。到了颛顼的时候，他看见这种情形很不对头，就命南正（官名）重专门掌管天上的事情，大会群神，使各就各位，分出一个次序来；又命火正（官名）黎专门掌管地上的事情，大会人民，使各安旧业，不得互相侵犯。这样人和神就分开了，天上的神事和地上的人事就各管各了，这就是所谓“绝地天通”。后来，从唐、虞到夏、商，重黎的后人世世代代掌管天地的事情，使人神各有所主。在周宣王时代，重黎的后人叫程伯休父的，失去重黎氏世代相传的职守，作了司马这个官，从此就成了司马氏。

这是公元前五世纪左右，楚国的大夫观射父对楚昭王讲的故事[①]，司马迁认为他的家世就是从重黎氏这样渺茫的远祖传下来的。[②]当公元前十世纪周穆王的时候，重黎在传说中还是上帝之下的两个主管天地的神[③]，到了观射父的故事中，他们就都成为人。他们结束了“夫人作享，家为巫史”[④]的局面，分司天地，作了职业的巫史，一个是巫，一个是史。观射父讲的这个故事，反映了先后不同的社会情况。但“家为巫史”即人人都是巫史的局面，其实是没有的，因为巫史并不是同时出现，而是先有巫，后有史的。鲁迅先生说：“原始社会里，大约先前只有巫，待到渐次进化，事情繁复了，有些事情，如祭祀，狩猎，战争……之类，渐有记住的必要，巫就只好在他那本职的‘降神’之外，一面也想法子来记事，这就是‘史’的开头。况且‘升中于天’，他在本职上，也得将记载酋长和他的治下的大事的册子，烧给上帝看，因此一样的要

---

①《国语》卷十八《楚语》下。“火正”，《史记·太史公自序》作“北正”；“南正”，《左传》昭公二十九年作“木正”。

②《史记》卷一百三十《太史公自序》。

③《尚书·周书·吕刑》。

④《国语》卷十八《楚语》下。

做文章——虽然这大约是后起的事。再后来，职掌分得更清楚了，于是就有专门记事的史官。”[①]根据观射父讲的故事，并结合鲁迅先生对史官起源的解释，似乎可以这样设想：在原始社会里，大概最初人人都祭神，人人自以为能通神；后来才有了专职的通神的巫；再后来巫兼史，巫史还是一人；又后来巫史分了家，巫主神事，而史主人事。观射父讲的重黎分司天地的故事是这最后的巫史分家的社会情况的反映。不过作为司马迁的祖先来说，重黎即使是历史人物，也是很渺茫的。司马迁所以称引这样渺茫的远祖，不过要表明他的家世是一个悠久的史官家世罢了。并且司马谈只说他的祖先是“周室之太史”，司马迁也只说“司马氏世典周史”[②]，他们都撇开了巫，而只强调史官的家世。

春秋战国以来，司马氏一族作史官的系统中绝，分散在各个地方，做着其他的官职，也有很著名的。这些，我们都不必去说它了。

这里单说司马迁出身的这一支。公元前六二〇年他们由晋迁到少梁[③]——秦惠文王十一年（公元前三二七年）改名

① 鲁迅《且介亭杂文·门外文谈》。

② 《史记》卷一百三十《太史公自序》。

③ 《史记》卷一百三十《太史公自序》。

夏阳[1]，汉代也叫夏阳，属左冯翊，即今陕西省韩城县。战国时代，少梁一支的司马氏，在秦惠文王时，出了一个叫司马错的，与张仪同僚而意见不同，主张伐蜀，有功，因而留守于蜀。司马错的孙子叫司马靳，当秦昭襄王时（公元前三〇六—前二五一年），为武安君白起部将，昭襄王四十七年（公元前二六〇年），与白起大破赵军四十余万于长平（今山西高平县西北），尽坑杀之。后三年（公元前二五七年），司马靳跟白起一起在咸阳西门外的杜邮（今陕西咸阳市东）被逼自杀。司马靳的孙子叫司马昌，当秦始皇时，为秦主铁官。司马昌的儿子叫司马无泽，在汉初为长安四市的一个市长。司马无泽的儿子叫司马喜，为五大夫。司马喜的儿子就是司马谈，为太史令，就是司马迁的父亲。

司马迁的家世，即使从春秋时代算起，也够得上说是“源远流长”的了。但直接给司马迁以深刻影响的，只是他的父亲太史令司马谈。因此，关于司马谈，我们还应比较详细地介绍一下。

---

① 《史记》卷五《秦本纪》。

司马谈

司马谈死于公元前一一〇年（武帝元封元年），生年不清楚。假定他比司马迁约大三十岁[①]，那就是生于公元前一七五年（文帝前元五年）左右。司马谈生长、受教育于汉王朝的文、景时代，主要接受了文、景时代的影响。

据司马迁说，司马谈的学问有三方面。其一，“学天官于唐都”。所谓学天官就是学天文，观测日月星辰。汉代学者以为天上的日月星辰，和地上的封建王朝一样，也有君臣尊卑、大小官职之分，所以称天文星象为天官。唐都是汉代有名的观测星象的专家，晚年还和司马迁一道参加改历工作。其二，“受《易》于杨何”。杨何，字叔元，菑川（今山东寿光县）人，汉初有名的传《易》者之一。公元前一三四年（元光元年），杨何以《易经》专家的地位为中大夫。[②]《易》讲阴阳吉凶，和天文星象是有关系的。司马谈学习这些，好像是有

---

① 司马迁生年见下章。

②《史记》卷一百二十一《儒林列传》。

目的地准备做一个史官的。也许他做了史官之后，才有机会也必须学习这些。因为天文星象和阴阳吉凶等等是史官的主要职掌。其三，“习道论于黄子”。所谓习道论大概就是学习汉初黄老一派的思想理论，不必专指某一书。黄子就是黄生，他好黄老之术，曾在汉景帝刘启面前和《诗经》专家辕固生辩论历史上汤伐桀、武王伐纣这两件事情的性质。黄生以为“汤武非受命，乃弑也”。而辕固生则以为：“桀纣虐乱，天下之心皆归汤武……汤武不得已而立，非受命为何？”两人各持己见，辩论不决。最后辕固生说：“必若所云，是高帝代秦即天子之位，非邪？”于是汉景帝就说：“食肉不食马肝，不为不知味；言学者无言汤武受命，不为愚！”这样，两人的辩论就结束了。[①] 黄生和辕固生的辩论，好像针锋相对，没有任何共同之处，其实都是为新建的封建王朝服务的。秦末农民起义的结果，消灭了一个旧的和建立了一个新的地主阶级的封建政权。辕固生所以强调汤武“受命”，目的在于说明汉高帝刘邦代秦即天子之位的根据。相反，黄生以为汤武不是什么“受命”，而是“弑君”，目的也不难看出，在于防止臣民的“乱

---

① 《史记》卷一百二十一《儒林列传》。

动”，以巩固新建的封建政权。所以在汉景帝即当时最高的封建统治者看起来，黄生和辕固生的议论都很对，没有争执的必要，“言学者无言汤武受命，不为愚！”但从封建统治者看来，更切实际的还是黄生的议论。因为在汉景帝时代，汉之代秦，早成历史事实，“受命”也罢，不“受命”也罢，刘家总归已经坐了天下。现实的问题，不是“受命”不“受命”，而是天下坐得安稳坐不安稳。汉初的封建统治阶级即地主阶级，从最高的当权派汉文帝、汉景帝、窦太后、曹参等以及一般地主阶级分子，所以提倡黄老思想，主张“清净无为”——即对人民缓和压迫、减轻剥削，根本的原因，在于消除人民的“乱动”思想，以坐稳天下，巩固地主阶级的封建统治。黄生的思想是文、景时代统治阶级的思想，即统治的思想。司马谈“习道论于黄子”，正是受这种统治思想的影响。

公元前一四一年（景帝后元三年），汉景帝卒，皇太子刘彻继位，他就是汉武帝，从此汉王朝进入了一个新的发展时期。这时经过六七十年的相对安定的局面，汉初以来王国割据势力已经逐步消除，中央集权的封建统治已经相当巩固，随着生产事业的发展、社会物质财富的增长，它必然结束“无为”政治，改变为以“仁义”为缘饰的“多欲”政治。在思想方面从窦太后死后（公元前一三五年，建元六年），儒家思想代替了黄老思想，成为封建统治阶级的思想，即统治的思想。司马谈在汉武帝建元年间（公元前一四〇—前一三五年），果然学有所用，开始做了史官，即太史令，通称太史公。“公”是当时习用的称呼，不一定是尊称。史官是汉武帝新设的一个官，职掌天时星历，“近乎卜祝之间”，在汉武帝看起来，不过是倡优一流，世俗也很轻视。史官从来还职掌记录，搜罗并保存典籍文献，这是史官的传统。司马谈自觉地继承了这一传统。

司马谈做太史令后，精神上感受到压抑和苦闷，这恐怕不仅由于他的职位的卑微，更重要的还由于他的政治思想和当时的统治思想存在着分歧。他深受影响的是黄老一派的“道论”，而当前走运的却是儒家思想。儒家思想，在汉武帝大力提倡并实践之下，司马谈公然反对了没有，我们无法知道。可是从现存唯一的题为《论六家要旨》的司马谈的那篇论文来看，可以知道，司马谈是表示了他的不同意见的。现在我们把它抄录在下面——

《易·大传》：“天下一致而百虑，同归而殊涂。”夫阴阳、儒、墨、名、法、道德，此务为治者也，直所从言之异路，有省不省耳。尝窃观阴阳之术，大祥而众忌讳，使人拘而多所畏；然其序四时之大顺，不可失也。儒者博而寡要，劳而少功，是以其事难尽从；然其序君臣父子之礼，列夫妇长幼之别，不可易也。墨者俭而难遵，是以其事不可遍循；然其强本节用，不可废也。法家严而少恩；然其正君臣上下之分，不可改矣。名家使人俭而善失真；然其正名实，不可不察也。道家使人精神专一，动合无形，赡足万物。其为术也，因阴阳之大顺，采儒墨之善，撮名法之要，与时迁移，应物变化，立俗施事，无所不宜，指约而易操，事少而功多。儒者则不然。以为人主天下之仪表也，主倡而臣和，主先而臣随。如此则主劳而臣逸。至于大道之要，去健羡，绌聪明，释此而任术。夫神大用则竭，形大劳则敝。形神骚动，欲与天地长久，非所闻也。

夫阴阳四时、八位、十二度、二十四节各有教令，顺之者昌，逆之者不死则亡，未必然也，故曰“使人拘而多畏”。夫春生夏长，秋收冬藏，此天道之大经也，弗顺则无以为天下纲纪，故曰“四时之大顺，不可失也”。

夫儒者以六艺为法。六艺经传以千万数，累世不能通其学，当年不能究其礼，故曰“博而寡要，劳而少功”。若夫列君臣父子之礼，序夫妇长幼之别，虽百家弗能易也。

墨者亦尚尧舜道，言其德行曰：“堂高三尺，土阶三等，茅茨不剪，采椽不刮。食土簋，啜土刑，粝粱之食，藜藿之羹。夏日葛衣，冬日鹿裘。”其送死，桐棺三寸，举音不尽其哀。教丧礼，必以此为万民之率。使天下法若此，则尊卑无别也。夫世异时移，事业不必同，故曰“俭而难遵”。要曰强本节用，则人给家足之道也。此墨子之所长，虽百家弗能废也。

法家不别亲疏，不殊贵贱，一断于法，则亲亲尊尊之恩绝矣。可以行一时之计，而不可长用也，故曰“严而少恩”。若尊主卑臣，明分职不得相逾越，虽百家弗能改也。

名家苛察缴绕，使人不得反其意，专决于名而失人情，故曰“使人俭而善失真”。若夫控名责实，参伍不失，此不可不察也。

道家无为，又曰无不为，其实易行，其辞难知。其术以虚无为本，以因循为用。无成势，无常形，故能究万物之情。不为物先，不为物后，故能为万物主。有法无法，因时为业；有度无度，因物与合。故曰“圣人不朽，时变是守”。虚者道之常也，因者君之纲也。群臣并至，使各自明也。其实中其声者谓之端，实不中其声者谓之窾。窾言不听，奸乃不生，贤不肖自分，白黑乃形。在所欲用耳，何事不成？乃合大道，混混冥冥。光耀天下，复反无名。凡人所生者神也，所托者形也。神大用则竭，形大劳则敝，形神离则死。死者不可复生，离者不可复反，故圣人重之。由是观之，神者生之本也，形者生之具也。不先定其神（形），而曰“我有以治天下”，何由哉？[①]

在这篇论文里，司马谈把春秋、战国以来“蜂起并作”的“百家之学”，概括出重要的阴阳、儒、墨、名、法、道六家，并加以论述。他对于阴阳等前五家分别给以肯定和批评，但对于道家则完全肯定。文章开头一段是对六家的简单论断，以后各段就展开了论述，并给各家以确定的概念。这篇简短的论文，第一次分析了春秋战国以来重要的学术流派，思想、条理是很明晰的，这说明了司马谈是有科学头脑和历史修养的。特别值得注意的是：它批判地肯定了阴阳家的学说，指出阴阳家的“春生夏长，秋收冬藏”的思想，是符合自然变化的客观规律的；它把儒家列为六家之一，否定其独尊的地位，非常中肯地批判其“博而寡要，劳而少功”；它完全肯定了道家，赞扬其包容各家之长，这充分地表明了司马谈的黄老思想的色彩和倾向。在汉武帝时代，司马谈的这种学术思

---

①《史记》卷一百三十《太史公自序》，据中华书局点校本。

想，同当时的统治思想存在着这样的分歧，为什么没有遭到禁止呢？这是因为汉武帝罢黜百家，独尊儒术，还只是统治思想转变的一个起点，实际上各派学说并未立即遭到取缔。建议独尊儒术的董仲舒、武帝重用的丞相公孙弘，也都不是单纯的儒家。董仲舒以儒家而讲阴阳家的学说，公孙弘“习文法吏事，而又缘饰以儒术”[①]。“学黄老之言”的汲黯，曾两度出任郡太守，武帝称赞他为“社稷之臣”[②]。可见汉武帝时代的统治思想，实际是儒家思想而兼用阴阳家、法家和道家“黄老”的思想，即所谓“汉家自有制度，本以霸王道杂之”，而并不“纯任德教”[③]。汉武帝时代统治思想的复杂化，是当时社会矛盾、阶级斗争复杂化的反映。司马谈这篇论文，则是从学术思想角度反映了汉武帝时代这种社会和统治思想复杂化的现实状况。还有值得提出的一点，即司马谈的这篇论文，继承和发展了《荀子·非十二子篇》、《庄子·天下篇》等对先秦学术思想流派的批判，无疑给司马迁后来为先秦诸子作传以很好的启示，也给更后的刘向、刘歆父子对先秦诸子的流派分类

---

① 《史记》卷一百十二《平津侯主父列传》。

② 《史记》卷一百二十《汲郑列传》。

③ 《汉书》卷九《元帝纪》。

以重要的基础。因此在当时来说，司马谈的这篇论文不仅有现实意义，而且是有历史意义的。

在汉武帝建元元封之间（公元前一四〇—前一一一年），即在汉武帝统治的前期，大约三十年间，司马谈一直做着史官。在如此长期的史官工作里，司马谈做了一些什么事，我们今天知道得很少很少。公元前一二一年（元狩二年）的冬天，汉武帝祭祀了上帝，因而想起还应该祭祀后土。司马谈和祠官宽舒曾经共同议定了祭祀后土的仪式。[①]后来到公元前一一三年（元鼎四年），汉武帝“行幸雍（今陕西凤翔县南），祠五畤”之后，经过司马谈的家乡夏阳，渡河到汾阴（今山西万荣县西北），“立后土祠于汾阴脽上”[②]，就如司马谈、宽舒等所议祭祀了后土。公元前一一二年（元鼎五年）冬至，汉武帝开始祭祀太一（上帝）于甘泉（宫名，在今陕西淳化县甘泉山），有司报告说“祠上有光焉”，司马谈和祠官宽舒又曾共同建议“宜因此地光域，立太畤坛以明应”[③]。据此可以推想，汉武帝的一切祭祀典礼，司马谈以他“近乎卜祝之间”的

---

①《史记》卷二十八《封禅书》。

②《汉书》卷六《武帝纪》。

③《史记》卷二十八《封禅书》。

史官地位，大概总得躬与其事和谨参末议的。此外，也是想象得到的，汉武帝出巡四方，无论是为了祭祀或其他事情，司马谈以他史官的责任，大概总得作为一个侍从跟随汉武帝到处奔走的。

但司马谈并不是一个庸俗的官僚，他对他的卑微的史官职守却抱有崇高的理想。这个理想表示在他最后对司马迁的遗嘱中，关于这一点，下文还要提到。这里我们暂且指出这个事实，即司马谈在“百年之间，天下遗文古事靡不毕集太史公”①的便利条件之下，他不止抱有论著历史的理想和计划，而且在长期的三十年的史官职守之内，他可能已开始了部分的撰述工作。可惜今天在《史记》一百三十篇内，究竟哪几篇是司马谈的手笔，我们实在很难辨别出来。②我们只能这样说，司马谈对历史论著是抱有宏愿的，而且在搜罗记录和保存历史资料等方面，也尽了一生的努力，他给伟大的《史记》的创作，确乎作了某些不可磨灭的基础工作。

---

①《史记》卷一百三十《太史公自序》。

② 在这个问题上，不可能有肯定的结论。有的学者曾经企图证明《史记》里有几篇出自司马谈手笔（顾颉刚《司马谈作史考》，见《周叔弢先生六十生日纪念论文集》），但并无确证。

公元前一一〇年（元封元年），汉武帝东巡，并在泰山上下举行了祭祀天地的典礼，这就是所谓“封禅”。司马谈当时留在洛阳，未能从行，他抑郁愤恨而死。司马谈论著历史的理想和计划，终于遗留给伟大的司马迁去实现。

童年

龙门诞生

司马迁，字子长[①]，公元前一四五年（汉景帝中元五年）诞生于龙门。[②]这个生地是司马迁自己说的。[③]龙门见于《尚书·禹贡》，是古代的一座名山。它跨黄河两岸，其东在今山西河津县北，其西在今陕西韩城县北。黄河自河曲转折

---

① 《法言·寡见篇》称司马子长，《吾子篇》两称子长，《论衡·超奇篇》、《案书篇》均称司马子长。参见王鸣盛《十七史商榷》卷一《迁字子长》条。

② 王国维《太史公行年考》（《观堂集林》卷十一）、梁启超《要籍解题及其读法》（《饮冰室合集》专集第十五册）、张鹏一《太史公年谱》（《关陇丛书》）、郑鹤声《司马迁年谱》（商务版《中国史学丛书》）、日本泷川龟太郎《太史公年谱》（《史记会注考证》第十册）均定是年为司马迁生年。

③ 《史记》卷一百三十《太史公自序》。

而南，流入峡谷，河面狭窄，水流迅急，穿过龙门，奔入平原，河面乃宽，流势始缓。以龙门为界，黄河在秦晋间的一段，南北形势悬殊。由于这种自然的形势，龙门遂成为自古以来人们不断驰骋幻想的一个神奇的地方。据说，龙门山这样对峙黄河两岸的形势，原是当日禹王治水、疏导黄河而凿开的。山上还“有相工坪，广二丈余，长四丈余，片石临河，莹洁可爱”[①]——是禹王站得高高的督工的地方哩。据说，黄河流到龙门山，“两崖皆断山绝壁，相对如门，惟神龙可越，故曰龙门”[②]。每年总有几千条鱼到龙门山下集合，准备跳龙门，跳上去的便成龙飞天，跳不上去的只好碰壁而返。[③]大概很早以来，龙门便在人们的幻想里，成为富有神奇色彩、产生神话的著名的地方。司马迁自说生于龙门，不过是乐于称道这个著名的地方罢了。事实上龙门山在韩城县北五十里，而司马迁六世祖靳葬华池，四世祖昌、曾祖无泽、祖喜皆葬高门[④]，华池、高门皆在韩城县南二十里地的

---

① 乾隆《韩城县志》卷一。
② 同上。
③ 同上。
④《史记》卷一百三十《太史公自序》。

芝川镇。[1]司马迁的墓和祠堂也在这里。[2]这是司马迁六世祖以来死葬的地方，也应是他们世代相传、居住生长的地方吧。

司马迁生于汉景帝统治的后期，这时他的父亲司马谈尚未做官，大概还在家乡芝川以农为业。祖父喜为五大夫——一个空头的第九等爵，实际上并未做官（否则司马迁会在《自序》中说明的），他可能是在汉文帝时务农致富，因而能够出粟买爵。司马迁自说“耕牧河山之阳”，大概在司马迁小时候，家庭还是务农为业，他也帮助家人养养牛放放羊，作些辅助劳动。请想象一下吧，在芝川的原野——有名的“河山之阳”，可以北眺龙门，东望黄河，牧童司马迁对着这样壮丽的山川，该会引起多少关于历史故事和神话传说的幻想啊！

十岁诵古文

司马谈是个读书人，是个有文化修养和专门学问的人，在做官之前，他未必真正是一个劳动的农民。因此，司马迁在少年时代也未必是一个完全的牧童，他大概在做牧童的同时或稍

---

① 郑鹤声《司马迁年谱》。

② 乾隆《韩城县志》卷二。

后，已开始了学童的生活。汉初的官僚制度规定：一般学童要年在十七岁以上，能背诵法官应用的法律条文，并能“推演发挥”其精义，再能缮写九千字，才可以当县或郡的一个文书。如果缮写文字，还能写得所谓“八体”，县就可以推荐到郡，郡又推荐到太史，太史把上述科目合试一下，最优秀的就可以做尚书、御史等官。无论官吏或老百姓上书，文字如果写得不正确，还要受到弹劾。[①]汉武帝时，“（石）建为郎中令，书奏事，事下，建读之曰：‘误书，“马”者与尾当五，今乃四，不足一，上谴死矣！’甚惶恐”[②]。一个字写得不正确，竟可能有如此严重的后果。在这样重视文字的官僚制度之下，在司马谈的家庭教养之下，牧童司马迁必然在很小的时候就开始了文字的学习。识九千个字和学会“八体”的书写，这对于一个学童来说，负担是相当重的，但在汉初，这还是一个学童入仕途径的起码要求。东方朔向汉武帝上书，自谓“年十三学书，三冬文史足用”，这可能是事实，但也很可能是这位滑稽文人“文辞不逊，高自称誉”的话。[③]

---

①《汉书》卷三十《艺文志》、《说文解字叙》及段玉裁注。

②《史记》卷一百三《万石张叔列传》。

③《汉书》卷六十五《东方朔传》。

汉武帝建元年间（公元前一四〇—前一三五年），司马谈到长安，做了太史令的官。从此司马迁大概也就随父亲到了长安，因而学习上有了更好的条件。司马迁自谓“年十岁则诵古文”[①]，大概是到了长安以后的情形。所谓“古文”，就是古代的文字，如《说文解字》所载的所谓“籀文”和“古文”等，不同于汉代通俗应用的隶书——即所谓“今文”。汉初传习的古书，许多是用今文写的，但也有先秦保存下来的、用古文写的。[②]司马迁十岁时所诵的“古文”，就是某些用古文写的书，不必专指某一本书[③]；从情理上看，当时那些用“今文”写的古书，司马迁当然也会读的，因为现代通用的文字，总比古代的文字容易学习。司马迁自谓十岁诵古文，只是表明他很早就有古文的修养，他的学习功夫是艰苦而深入的。

司马迁十岁那一年（建元五年，公元前一三六年），汉武帝立五经博士。明年窦太后死，田蚡为丞相，汉武帝就

---

①《史记》卷一百三十《太史公自序》。

②《汉书》卷五十三《鲁恭王余传》、《河间献王德传》。这是经学史上的一个老问题。经今文派只承认有用汉代隶书写的经本，不承认有先秦传下来的用古文写的经本，这是他们的偏见，站不住的，这里也无需多辩。

③《龚自珍全集·大誓答问》第二十三：“……又迁《自序》：‘年十岁则诵古文。’其时众书争出于世，大抵古字皆曰古文，未必十岁即有从安国游之事。”

毫无顾虑地按照儒家思想所代表的封建统治阶级的要求来办事情了。公元前一三四年（元光元年），通过贤良对策的方式，传《公羊》、《春秋》的董仲舒和“学《春秋》杂说”的公孙弘，都成为封建王朝的著名人物。[1]董仲舒在贤良对策后为江都相，后为中大夫。中大夫是郎中令的一个属官，是宫廷内部的一个只管议论的闲官。因此，他还是可以讲他的《春秋》。汉武帝曾使善于“格五”（一种棋戏，用五个子，至五格不得行，故叫做格五）的少年吾丘寿王跟董仲舒学《春秋》。[2]这时司马迁虽然还很年轻，不知由于什么样的关系，也曾亲受过董仲舒的《春秋》。这大概是汉武帝元光、元朔之际的事。[3]大约也就在这个时期，孔安国为博士，司马迁也跟孔安国学过古文《尚书》。[4]董仲舒的《春

---

① 关于董仲舒应贤良诏、对策一事，在年代的记载上有分歧。兹据《汉书·武帝纪》，定于元光元年。

②《汉书》卷六十四上《吾丘寿王传》。

③《汉书·董仲舒传》载仲舒在为江都易王相后为中大夫，年代未详。由下文公孙弘为公卿排斥仲舒为胶西王相及《吾丘寿王传》寿王从仲舒受《春秋》二事推之，董仲舒为中大夫当在元光、元朔之际。元朔三年，公孙弘为御史大夫，五年为丞相。董仲舒被排斥为胶西王相约在此期间。司马迁亦于元朔三年开始漫游。再后，董仲舒告老家居，司马迁为郎中做官。因知司马迁从董仲舒受《春秋》在二十岁以前最有可能，即元光、元朔之际。

④ 从王国维说，见《太史公行年考》。

秋》学说和孔安国的《尚书》学说，对年轻的司马迁都是有很深的影响的。[①]特别是董仲舒的《春秋》学说，竟成为司马迁后来著作《史记》带有根本性的思想上的动力。[②]

家徙茂陵

公元前一三九年（建元二年），汉武帝在他母亲的原籍槐里县（今陕西兴平县东南）的茂乡，建造自己的陵园，并把茂乡改为一个县，叫作茂陵（今陕西兴平县东北）。[③]第二年，他鼓励人民移住茂陵，移住的每户给钱二十万，田二顷。并在长安城北面西头的一个门——便门外，造便门桥，横跨渭水之上。茂陵在长安西北八十里，便门桥在长安西北四十里[④]，长安人出便门，经便门桥，往茂陵，路是直的，很方便了。于是茂陵成为一个新的名胜区域。

公元前一二七年（元朔二年），汉武帝为了加强封建王朝

---

① 《汉书》卷八十八《儒林传》："孔氏有古文《尚书》，孔安国以今文字读之。……而司马迁亦从安国问故，迁书载《尧典》、《禹贡》、《洪范》、《微子》、《金縢》诸篇，多古文说。"

② 《史记》卷一百三十《太史公自序》。

③ 《汉书》卷六《武帝纪》。

④ 同上。

的对内统治，听信了说客主父偃的献计——“茂陵初立，天下豪杰兼并之家、乱众之民，皆可徙茂陵，内实京师，外销奸猾，此所谓不诛而害除”，因此，又徙天下郡国豪杰及家产在三百万以上者于茂陵。[①] 于是茂陵不仅成为皇家贵族的游苑别墅，而且还成为封建王朝公开地集中地管制豪强的区域。轵县（今河南济源县）人游侠郭解，本来家贫，不合迁徙的规定。但郭解在民间名声很大，因此地方官吏不敢不点名要他家迁居。大将军卫青给郭解讲情，说郭解家贫，不合迁徙的条件。汉武帝说：“一个老百姓有这样的权力，能够使大将军帮他讲话，他的家一定不穷！”于是郭解终于举家迁往茂陵，地方上人集款送行，不下千余万。郭解到了长安，长安一般“贤豪”，无论认识或不认识郭解，听说郭解来了，都争着要和他做朋友。司马迁大概也就在这个时候，曾经见过郭解。郭解为人，短小精悍，生活简单，说话不多，给司马迁的印象很深。原来最初举徙郭解的是郭解的同县人杨季主的儿子——轵县的一个文笔吏。当时，郭解的侄儿就杀了杨季主的儿子。郭解入关以后，郭家又杀了杨季主。杨季主家人上书王朝，又被杀于王朝之下。这样一来，汉武帝就下令通缉郭解。而郭解已

① 《史记》卷一百十二《平津侯主父列传》及《汉书》卷六《武帝纪》。

经举家逃亡，他把母亲和妻子安顿在司马迁的故乡夏阳，自己逃到临晋（今陕西大荔县）籍少公的家里。籍少公从来不认识郭解，却掩护郭解脱险出关。郭解出了关，转往太原，沿途望门投止，他不隐瞒身份，人家也愿意留他住宿。王朝捕吏追踵跟到籍少公家，籍少公自杀绝口，郭解渺然无踪。过了许久以后，郭解才为王朝捕获。然而王朝审讯的结果，郭解所犯杀人的罪状，皆在大赦之前，因此郭解又被释放了。第二年[①]（公元前一二六年），王朝又派专使到轵县调查郭解案情，在招待使者的坐席上，有人称誉郭解；在座有个儒生就说："郭解专门为非作歹，违犯法纪，怎么还能说是好人呢？"不久，郭解的一帮人就杀了这个儒生，并割下他的舌头。地方官吏好像再也无法替郭解开脱，责备郭解不应再犯。但郭解实在不知道这一件事，凶手亦竟无影无踪，莫知为谁。地方官吏又上报郭解无罪。这时汉武帝一手提拔起来的《春秋》家公孙弘已为御史大夫，他说："郭解以一个普通的老百姓，专门管人家闲

① 据《史记·郭解传》，郭解被杀，实由于御史大夫公孙弘的坚决主张。考公孙弘为御史大夫在元朔三年，见《史记·平津侯主父列传》，则郭解被杀最早当在元朔三年。《资治通鉴》定于元朔二年，误。以当时情势推之，郭解以元朔二年被徙、逃亡，元朔三年始就逮、被杀，似较合理。若定于元朔四年，则又不免过晚。

事，横行乡里，翻眼就杀人。这一杀人案他虽不知情，可是比他亲手杀人的罪过还大，该当按‘大逆无道’论处。”于是汉武帝就杀了郭解及其家族。[1]郭解对年轻的司马迁的影响是无形的，然而却是极深刻的。后来司马迁写《游侠列传》，歌颂这样一个专和王法作对的游侠，并歌颂一切游侠，竟至于否定传统的封建阶级的道德，这实在是一切封建阶级及其士大夫们所想象不到的。[2]

在汉武帝始而鼓励人民、继而强迫豪强迁徙茂陵的形势之下，司马迁的家庭不知在哪一年，更不知由于什么原因，也搬到茂陵来了。可能在茂陵初建的时期，司马谈到长安做官，因为侍从武帝的关系，就已移家茂陵。也可能是在元朔以后移家茂陵的；因为在这时，迁徙茂陵已经成为封建王朝的政治压迫，司马谈虽然不是郡国豪强而是王朝官吏，但为了职务上的方便，也就移家茂陵了。因此，茂陵显武里成了司马迁的新籍贯。[3]后来到了太始元年（公元前九六年），司马迁五十岁的时候，汉武帝又一次“徙郡国吏民豪杰于茂陵、云

① 以上司马迁见过郭解及郭解被杀的故事均见《史记·游侠列传》。

② 参见本书“褒贬尺度的人民性”一节。

③《史记》卷一百三十《太史公自序》，《索隐》引《博物志》。

陵（今陕西淳化县北）”[①]，这时茂陵“户六万一千八十七，口二十七万七千二百七十七”，约占右扶风二十一县户口的三分之一[②]，它已成为一个有名的、以贵族游苑和豪强集中为特征的、很大的城市了。

① 《汉书》卷六《武帝纪》。

② 《汉书》卷二十八上《地理志》上。

漫游、侍从和奉使

二十漫游

二十岁的司马迁，好像准备要继续父谈的史官事业。他停止古文经传等简编的诵读，去访问名山大川，接触伟大祖国的土地和人民，实地考察古代和近代的历史。这种实践精神，在两千一百多年前是多么难能可贵啊！

据说当司马迁十三岁的时候，曾奉父谈的命令，乘“传车”（供官吏等人乘坐的一种马车）遍行天下，搜求古代诸侯的历史。[①] 这个传说，虽然在年龄上不免有错误，但却说明了司马迁“二十漫游”的实际原因。

公元前二一九年和前二一〇年，秦始皇两次南巡的故

---

① 卫宏《汉旧仪》、《西京杂记》卷六。

事，都和舜、禹的传说发生过某些联系。[1]在始皇两次南巡八十多年后，司马迁的此次少年漫游，首先就以南方的舜、禹的传说为考察的目标。

司马迁从京师长安起程，大概出武关（今陕西商县东），经南阳（今河南南阳市），至南郡（今湖北江陵县）渡江。诗人屈原的悲剧故事，好像特别具有一种力量使他向往。他到了长沙（国）的罗县，访问了县北汨水屈原自沉的地方。屈原不幸的遭遇，引起年轻的司马迁的深刻同情和幻想，他为之凄楚流涕，想见屈原的为人。[2]在湘江上游的零陵郡（汉武帝元鼎六年始置）营道县（今湖南宁远县）境内，有九疑山，据说帝舜南巡，死了葬在这里。司马迁从长沙溯湘江而上，考察了有名的九疑山，又从湘南到湘西，顺沅江而下，这大概就是他所谓"窥九疑，浮于沅湘"的情况吧！[3]

司马迁在"浮于沅湘"之后，东浮大江，"南登庐山"。这一带河流密布，"皆东合为大江"，他考察了所谓"禹疏九江"的传说。[4]

---

①《史记》卷六《秦始皇本纪》。

②《史记》卷八十四《屈原贾生列传》。

③《史记》卷一百三十《太史公自序》。

④《史记》卷二十九《河渠书》、《汉书》卷二十八上《地理志》上。

然后他顺江而下，东南上会稽山（今浙江绍兴县东南），这是帝禹传说更多的地方。据说禹在这里会诸侯计功，因名此山曰会稽山。禹死了也就葬在这里。山上有一孔，禹曾经进去过，因而叫做禹穴。司马迁上会稽山，是为了“探禹穴”的。[1]

会稽郡的名山，除会稽山外，在吴县，有姑苏山。司马迁在上了会稽之后，还至吴，上姑苏。这里特别引他注目的是众多的湖泊，相连成一片，他眺望了所谓五湖。[2]在吴县，司马迁还参观了春申君黄歇的故城及其规模宏大的宫室。春申君的故城宫室大约开始建于公元前二四七年，到司马迁参观的时候（公元前一二六年）才一百二十一年，司马迁看到的这些遗迹大概还相当完整吧！[3]

司马迁在游历了江南之后，渡江北上，首先到达淮阴（今江苏淮阴市东南），这是鼎鼎大名的韩信的故乡和封侯之地。他访问了淮阴父老，从父老们的口中得到了许多宝贵、生动的淮阴侯的故事。淮阴人对他说，韩信为平民时的志向，就和一般人不一样。他的母亲死了，无钱营葬，但韩信却把他母

---

①《史记》卷二《夏本纪》、卷一百三十《太史公自序》。
②《史记》卷二十九《河渠书》。
③《史记》卷七十八《春申君列传》。

亲的坟茔安置在空阔高爽的旷野，以便将来在坟茔的左近发展成为万户的城市。司马迁在父老们的指引之下，就去参观了一下，看见韩母墓地的形势，果如父老们所说。[1]在淮阴，司马迁的收获是很大的。

淮水经淮阴城北东流入海，泗水自北来，在淮阴城东入淮，这里就是所谓淮泗口。公元前一五四年（前元三年），吴、楚七国造反的时候，周亚夫坚守昌邑（今山东金乡县），使轻骑趋此以绝吴、楚粮道。[2]司马迁渡过淮水，沿泗水北上，就到达了鲁国的都城（今山东曲阜县）。这是古代文化的一个中心，是司马迁十分景仰的地方。他参观了城北泗上的孔子墓，坟地有一顷大。这里有孔里。据当地人讲，孔子死后，他的弟子和鲁国人搬来居住的有百多家。鲁国人代代相传，每年按照一定的时节来祭祀孔墓，一般儒生也常常到这里来讲习饮酒和射箭的古礼。孔子生前所居堂和弟子们的宿舍，改为现在的孔子庙。这里陈列着孔子的衣、冠、琴、车、书等。司马迁很早就读过孔子的书，现在参观了孔子的庙堂、车服、礼器等遗物，又看见在孔子的遗风影响之下，儒生们按时

---

①《史记》卷九十二《淮阴侯列传》。

②《史记》卷一百六《吴王濞列传》，参见顾祖禹《读史方舆纪要》卷十九。

习礼的情景，这一切，使司马迁对孔子发生无限的崇敬，以至于幻想要亲眼看到孔子的为人。他在这里，住的时候相当长，默默地体会，细细地观察，处处可以看到孔子的遗风。这是印证古书的地方，他当然要在这里尽量地向儒者们请教，讲习学业。他还到齐国的都城（今山东临淄县）去过一趟，也是为了同样的目的。①

公元前二一九年，秦始皇东行郡县，上邹峄山，并曾刻石颂秦德。然后与鲁儒生议封禅望祭山川之事。然后果然封泰山，禅梁父。秦始皇的两次南巡和这一件事，司马迁无疑都是知道的。司马迁在南游的途中，也曾在邹县逗留下来，游览了峄山，并在这里学习了饮酒、射箭的礼节。②由此向南，经过孟尝君田文的封邑——薛的故城（今山东滕县东南），司马迁觉得这里民风强悍，与邹鲁人很不一样。和父老们谈话，知道当日孟尝君好客养士，无分好歹，一概收容。作奸犯法之辈，亡命藏身到薛中来的共有六万多家。传说孟尝君以好客自喜，真真“名不虚传”③。从薛再向南，就到了有名的彭城（今江苏徐州市）。这是秦楚、楚汉战争必争之地，也是赫

---

①《史记》卷四十七《孔子世家》、卷一百三十《太史公自序》。

②《史记》卷一百三十《太史公自序》。

③《史记》卷七十五《孟尝君列传》。

赫一时的西楚霸王项羽的都城。司马迁到这里当然更要访问一番。这是搜集秦汉之际历史资料的一个中心。但到这里，和在薛一样，他已感到非常穷困。[①]不过穷困并没有怎样影响他的漫游计划，他对于秦末起义军的若干领袖们的故乡是不能轻易走过的。他从彭城向西北，就到了沛郡的沛县（今江苏沛县东）。丞相曹参是这里人，秦时为沛狱掾；丞相萧何是沛郡的丰县（今江苏丰县）人，曾和曹参同事，是沛狱的主吏。汉高帝刘邦当时为沛东的泗水亭长，是萧何的一个好说大话、蔑视县廷官吏的小同乡。他到县里打官司，常常得到萧何的袒护和开脱。他为沛县送民夫到咸阳，县廷官“吏皆送奉钱三，何独以五”。公元前二〇九年（秦二世元年）的秋天，陈胜、吴广等首先在沛郡的蕲县（今安徽宿县）起义，接着各地人民纷纷起来响应。刘邦在沛县人民杀了沛令之后，得到沛县人民和萧何、曹参等的拥护，成为沛县起义军的领袖——沛公。沛县是秦末人民大起义最初的一个中心，这里参加起义的人独多。鸿门宴上的壮士樊哙是沛县人，当日原是卖狗肉的。封为滕公的夏侯婴是沛县人，原是沛县的一个车夫。丞相周勃也是

---

①《史记》卷一百三十《太史公自序》。

沛县人，原以织“薄曲”（养蚕的器具）为生，还时常为丧家作吹鼓手。还有汾阴侯周昌、周昌堂兄御史大夫周苛、蒯成侯周緤、安国侯王陵、辟阳侯审食其等等，也都是沛县人。司马迁在这里，也参观了他们的故居，并听到他们平居时的许许多多故事，他觉得闻所未闻。[①] 由沛县向西，就到了丰县，这是萧何、刘邦的家乡。有一个叫卢绾的，和刘邦同里（阳里）、同日生，后来又一同求学，两家家长一向又很要好，里中人为了他们这些关系，曾经两次以羊酒祝贺。刘邦在沛县起义后，卢绾也就跟着刘邦，参加了起义军。由沛县向西南，经砀县到睢阳（今河南商丘县南）。颍阴侯灌婴原是这里一个贩卖绸缎的小商人。[②] 最后由睢阳而西，就到了大梁（今河南开封）。这是魏国的都城。司马迁在这里，访问了所谓“夷门”，就是大梁的东门。[③] 当日魏公子无忌谦恭下士，亲身拜访夷门监者侯嬴的故事，如在目前，更觉亲切了。父老们还为他讲述秦魏最后一战的故事，据说秦军围大梁，引河水（即后来楚汉“中分天下”的鸿沟 [④]）灌城，三月城破，魏王投

① 《史记》卷九十五《樊郦滕灌列传》。
② 同上。
③ 《史记》卷七十七《魏公子列传》。
④ 参见《史记》卷七《项羽本纪》，《正义》引张华说。

降。秦人就这样灭了魏国。[①] 过大梁而西，司马迁大概没有再到别处去，就一直回长安了。[②]

司马迁的这一次长途漫游，是一个壮举，也是一个创举。这是他的学习和实践。他游历了祖国的广阔山河，接触了广大人民，考察了历史遗迹，知道了许多历史人物的逸事、逸闻，了解了许多地方的民情风俗和经济生活，开阔了眼界，扩大了胸襟，他的收获不但是丰富的，而且是极可宝贵的。这对于他后来整齐"六经异传"和"百家杂语"的伟大工作，无疑是有极大的帮助的。尤其重要的，是他在彭城、沛、丰一带的漫游收获，这对于他后来描写秦楚、楚汉战争的形势和以刘邦为首的汉王朝初期统治集团的面貌，必然会发生很大的影响。不过很可惜，司马迁这样有目的、有意义的漫游，我们知道得很不全面，即如他究竟费了多少时间，我们也不能知道——以情理推测，大概至少也需要一二年的时间吧！

---

①《史记》卷四十四《魏世家》。

②《史记》卷一百三十《太史公自序》。按，以上所叙司马迁漫游路线和《史记·太史公自序》所记不尽相同，基本上根据王国维的说法（详见《观堂集林》卷十一《太史公行年考》）。有人以为"王氏此说，颇伤穿凿。傅会之谈，绝非事实"（郑鹤声《司马迁年谱》）。笔者考察了秦汉间道路交通的大致情况及《史记》所记司马迁到过的地方，觉得司马迁二十漫游的具体路线固然很难确定，但王氏之说还是有相当理由的。故从之。

入仕

司马迁在漫游之后，大概在公元前一二二—前一一六年之内[①]，开始入仕，作了一名郎中。这是汉王朝宫廷内部的庞大官僚机构中的一个小官。就郎官的系统说，有议郎、中郎、侍郎、郎中四等，皆无一定名额，可以多至千人。议郎、中郎秩比六百石（实领六十斛），侍郎比四百石（实领四十五斛），郎中比三百石（实领三十七斛）。中郎还有五官、左、右三将，秩皆比二千石（实领百斛），郎中也有车、户、骑三将，秩皆比千石（实领八十斛）。可见郎中在郎官系统中是最低一级的小郎官。郎官的一般职务是“掌守门户，出充车骑”[②]。——皇帝不出去的时候，他们是宫门武装执戟

① 司马迁《报任安书》（载《汉书·司马迁传》）说：“仆赖先人绪业，得待罪輦毂下二十余年矣。”按王国维定司马迁此书写于太始四年（公元前九三年），其说较诸家为胜（见王国维《太史公行年考》）。由此上推二十余年，则司马迁为郎中时当在元狩元鼎间（公元前一二二—前一一六年），亦即在司马迁二十五六岁至三十岁之间。假定司马迁漫游在元朔三—四年，漫游后三四年内才正式入仕，亦非不可能之事。《史记·太史公自序》说“于是迁仕为郎中”，原不必说漫游后即仕为郎中。

② 《汉书》卷十九上《百官公卿表》上。

的侍卫；出去的时候，他们是车驾的侍从。这些郎官的来头很多，各色各样的人都有。[①]大概因为二千石高官担保子弟为郎和富人以家资为郎的特别多，所以董仲舒在《贤良对策》里才表示异议，以为这些来头的郎官未必都是有才有德的优秀分子。[②]这是在司马迁为郎中十多年前的情况。郎官在宫廷内部，亲近皇帝，平常既很有光彩，一旦由内廷外调，往往得为“长吏”[③]。所以郎官是富贵子弟追求仕进的目标，也是很自然的。虽然司马迁做的郎中，只是最低的小郎官，可是由一个“近乎卜祝”的史官的儿子，变为武帝左右的亲信，那也算很不容易了。但司马迁为郎中，究竟由于什么原因，我们却一点也不知道。

从此以后，司马迁以一个郎官的身份，当然和宫廷内其他各色官吏一样，是要侍从皇帝的。可以想象，武帝走到哪里，他就要跟到哪里。这是他的经常职务之一。公元前一三三年（元光二年）冬十月（这时历法仍以十月为岁首），武帝第一次出巡到雍，祭祀五帝。[④]此后十年之内，他忙于加强内

---

① 瞿兑之《汉代风俗制度史》前编第一册，北京广业书社版，第一〇七页。
② 《汉书》卷五十六《董仲舒传》。
③ 同上。
④ 《汉书》卷六《武帝纪》。

部统治和对北方匈奴的防御和反攻，一直没有出巡过。公元前一二二年和前一二一年（元狩元年、二年）的冬十月，武帝又出巡到雍，举行五帝的祀典。[①] 这正是司马迁为郎中时稍前的事。后来武帝对于祭祀天地的事情，就愈来愈感觉兴趣了。公元前一一三年（元鼎四年）冬十月，武帝开始出巡郡县。他照旧到雍祭祀五帝，之后，折向东北，从夏阳到河东。河东郡（今山西夏县北）太守不料皇帝驾到，来不及准备供应，一急自杀了。武帝到汾阴，立了后土祠，并举行祭礼，一切仪式是太史令司马谈和祠官宽舒议定的。礼毕之后，武帝复南渡黄河，取道荥阳（今河南荥泽县西南）西返，到了洛阳，下诏说："祭地冀州，瞻望河洛，巡省豫州，观于周室……"[②] 不言而喻，武帝这一次周游河洛，观省民风，司马迁父子都是跟着的。第二年（公元前一一二年）冬十月，武帝又在"行幸雍，祠五畤"之后，忽然高兴，西过陇坂（山名，延亘陕西陇县、甘肃清水县境），陇西郡（治所狄道，今甘肃临洮县南）太守也因为来不及准备供应，一急自杀了。武帝西登了崆峒山（在今甘肃平凉县西），又北出萧关（今甘肃

① 《汉书》卷六《武帝纪》。

② 《汉书》卷六《武帝纪》及《史记》卷三十《平准书》、卷二十八《封禅书》。

固原县东南），和数万骑一起打猎于新秦中（在今内蒙古河套一带），然后回到甘泉。[①] 后来司马迁回忆说："余尝西至空桐（崆峒）。"[②] 就是讲这一次侍从武帝西登崆峒山的事。

奉使西征

空桐侍从的明年（公元前一一一年，即元鼎六年），司马迁又奉武帝之命出使巴蜀以南，代表汉王朝去视察和安抚西南少数民族地区。从武帝曾经派去过的唐蒙、司马相如等所负的重大使命看来，司马迁此时大概已经表现出很有才能[③]，取得了武帝的信任，因而才能有此次西南之行。

还在公元前一三五年（建元六年），司马迁十一岁的时候，番阳令唐蒙就向武帝建议，说欲取南越（在今广东、广西一带），由长沙、豫章（今江西南昌市）水道往，难行，不如南通夜郎（今贵州西境），得夜郎精兵，浮船牂牁江（今盘江），出其不意，以攻南越，这是制越的一个奇计。武帝果

---

① 《汉书》卷六《武帝纪》及《史记》卷二十八《封禅书》、卷三十《平准书》。

② 《史记》卷一《五帝本纪》。

③ 据《汉书》卷六十五《东方朔传》，汉武帝认为司马迁是当时许多"辩知闳达，溢于文辞"的著名人物之一。

然听了唐蒙的话，任命唐蒙为中郎将，并准许他带领巴蜀民千人前往。后来唐蒙到了巴蜀，除得到千人自随外，还发动一万多巴蜀人民来转运粮食，违抗者即以军法制裁，以致巴蜀人民大为惊恐，或逃亡或自杀。武帝听到这个消息，恐怕激起民变，就叫郎官蜀人司马相如赶紧去责备唐蒙，并向人民解释说，这不是他的意思。司马相如在他写的文告里，一面说唐蒙“发军兴制，惊惧子弟，忧患长老，郡又擅为转粟运输，皆非陛下之意也”；一面又说“当行者或亡逃自贼杀，亦非人臣之节也”。司马相如的这篇文告，真正代表了武帝欺骗人民的立场。其实唐蒙这时已由巴郡（治所江州，在今四川重庆市北）的符关[①]（今四川合江县西）进入夜郎，会见了夜郎侯多同，并和多同达成协议，使夜郎归附汉王朝。唐蒙回来报告后，武帝就在那里建立犍为郡。到了公元前一三〇年（元光五年），武帝就毫无顾虑地征发巴蜀人民来修筑通南夷的道路，从犍为郡的治所僰道（在今四川宜宾市西南），直通牂牁江，以便控制夜郎。[②]

---

①《史记》卷一百十六《西南夷列传》“从巴蜀筰关入”，据王念孙说当作“巴符关”。

②《史记》卷一百十六《西南夷列传》、卷一百十七《司马相如列传》及《汉书》卷六《武帝纪》。

这时西夷的邛（在今四川西昌县）、笮（在今四川汉源县）等的君长，知道南夷与汉王朝交往，得汉财物赏赐，很有好处，因而也愿意归汉，请求汉王朝派遣官吏治理。武帝就问司马相如。司马相如说：邛、笮、冉駹（在今四川茂汶县）等族，散居在蜀郡附近，道路易通，如果建立郡县，比南夷还要好哩。武帝以为这话很有理由，就任命他为中郎将，全权代表汉王朝去通好西夷；又派了王然于、壶充国、吕越人三个副使。他们乘坐四匹马拉的传车，很快就到了蜀郡治所成都，和西夷谈判。邛、笮、冉駹、斯榆（今四川天全县）的君长们都愿意归汉，为汉王朝的臣民。司马相如回朝报告，武帝颇为高兴，就在西夷置一个都尉、十多个县，附隶蜀郡。直到元朔三年（公元前一二六年），即司马迁二十岁南游的一年，武帝因为正筑朔方城（今内蒙古杭锦旗北）抗击匈奴，才听公孙弘的话，专力对付匈奴，对西夷完全放弃了，仅在南夷置两县一都尉，令犍为郡能够自己保住就是了。①

过了十三年，到了公元前一一二年（元鼎五年）夏四月，南越相吕嘉杀死南越王赵兴及王太后，并杀了终军等汉

---

①《史记》卷一百十六《西南夷列传》、卷一百十七《司马相如列传》及《汉书》卷六《武帝纪》。

使者，武帝乃大举出兵攻打南越。第二年（元鼎六年）冬，武帝东行，至左邑的桐乡，前方捷报番禺（南越都城，今广东广州市）已破，遂在这里建一个县叫闻喜县（今山西闻喜县西南）。春天行到汲县的新中乡，得报已获吕嘉首，又在这里建立一个县叫获嘉县（今河南新乡县西南）。南越破后，汉王朝兵威震动西南，夜郎、且兰（在今贵州凯里县西北）、邛、筰、冉駹等先后请求归附。于是武帝就在西南少数民族地区建立五个郡，以且兰为牂牁郡，邛都为越巂郡，筰都为沈犁郡，冉駹为汶山郡，广汉（今四川梓潼）、西白马（今甘肃康县）为武都郡。[1]秋后，司马迁就奉武帝之命到这些新区来视察和慰问。[2]

司马迁这一次到西南去，条件好得多了，巴蜀人民多年来流血流汗，用艰苦的劳动跟自然作斗争，已开辟了通往巴蜀以南的道路。司马迁当时由长安起程，大概南出汉中，经巴郡、蜀郡到沈犁郡，再到越巂郡。这就是司马迁说的“奉使西征巴蜀以南，南略邛、筰、昆明（今云南曲靖一带）”。司马

① 《史记》卷一百十六《西南夷列传》及《汉书》卷六《武帝纪》、卷六十四下《终军传》。

② 西南夷定于元鼎六年夏，司马迁于元封元年春从西南回来参加封禅（详下），故知司马迁奉使西南在元鼎六年秋后。

迁这一次的出使，收获无疑也是很丰富的。从此，司马迁对西南地区的地理、物产、民情、风俗，便有了亲切的认识。这对他后来写《货殖列传》等是有很大的帮助的。

到这时候为止，司马迁已经游历了我们伟大祖国的东南、西北、中原和西南的广阔地区，他的实践经验愈来愈丰富了。这时他是三十五岁。

为太史令——从内廷到外廷

扈从封禅

继西南夷和南越之后，分布在今福建的一支越族——闽越也归附了汉王朝。从秦末汉初以来，常常侵袭边郡的北方强敌匈奴，经过公元前一二七年（元朔二年）、前一二一年（元狩二年）、前一一九年（元狩四年）三次关键性的战役，终于被汉军逐出漠南，逐渐向西北迁徙，匈奴对汉的威胁基本上解除了。这样，汉王朝就进入了全盛时期，使得武帝很有理由设想："封禅"大典应该及时举行了。

封禅大典是帝王祭祀天地的一种特别隆重的典礼，先要到泰山顶上筑坛祭天，这叫做"封"；然后在泰山底下的小山上辟地祭地，这叫做"禅"。一个帝王举行了这种典礼，才表明他是真正的受命天子，完全有资格作为天的唯一代表者，实行其对人间的统治。这种想法，起于战国时代，后来秦始皇在做皇帝的第三年（公元前二一九年），就曾经东巡郡县，上泰山去举行封礼，又到梁父山去举行禅礼。那次始皇从泰山南面上山，走到山腰，忽遇暴风雨，儒生博士们都暗暗讥笑他，认为始皇实在不配举行这种典礼。后来始皇举行了封禅典礼，这种典礼究竟是如何举行的，他不许人知道。[①]到了汉朝，汉高帝刘邦因为江山尚未坐得很牢，还想不到做这种不切实际的事。文、景两代，力求安静无事，自然也就不想做这种事。直到武帝时代，随着中央集权的统一的封建国家的繁荣强盛，不断地有人劝武帝举行封禅，司马相如就是一个著名的代表，他到临死时还在遗书中“言封禅事”[②]。武帝又是一位好大喜功的皇帝，他在即位之初就跃跃欲试。自从公元前一一六年（元鼎元年）在汾水上得了作为“符瑞”看的宝鼎以后，举行封禅的要求就愈来愈具体化了。武帝希望儒生们拟出一套封禅礼仪，但儒生们几年也搞不出个所以然来。他们“牵拘于《诗》、《书》古文”而不敢驰骋想象。武帝曾经自定一套封禅祭器给他们看，他们又以为同古代的不一样，这使武帝

①《史记》卷二十八《封禅书》。

②《史记》卷一百十七《司马相如列传》。

很为恼怒。[1]最后他还是相信兒宽的话："享荐之义，不著于经……唯圣主所由，制定其当，非群臣之所能列。"[2]武帝终于自制了封禅礼仪。那时，东南沿海完全平定，匈奴远徙漠北，这真正是庆太平、告成功的时候了，而封禅礼仪也已有了相当准备，于是封禅典礼就提到武帝出巡的日程上来了。

公元前一一〇年（元封元年）冬十月，武帝先统率大军十余万，北巡朔方，耀威塞外。然后东巡海上，路经缑氏（今河南偃师县南），礼拜嵩山。接着就东上泰山，真正举行封禅去了。

当武帝东行齐鲁、准备封禅的时候，司马迁从西南回来，他没有立刻见到武帝，赶到洛阳，见到了快要死去的父亲司马谈。封禅是千载难逢的盛典；司马谈侍从武帝，到了洛阳，大概因为有病，留下来了，又急又气，病更重了。他拉着儿子的手，一边哭，一边说：

> 余先，周室之太史也，自上世尝显功名于虞夏，典天官事。后世中衰，绝于予乎！汝复为太史，则续吾祖

---

①《史记》卷二十八《封禅书》。
②《汉书》卷五十八《兒宽传》。

矣。今天子接千岁之统，封泰山，而余不得从行，是命也夫，是命也夫！余死，汝必为太史。为太史，无忘吾所欲论著矣！且夫孝始于事亲，中于事君，终于立身。扬名于后世，以显父母，此孝之大者。夫天下称颂周公，言其能论歌文武之德，宣周召之风，达太王、王季之思虑，爰及公刘，以尊后稷也。幽厉之后，王道缺，礼乐衰，孔子修旧起废，论《诗》、《书》，作《春秋》，则学者至今则之。自获麟以来，四百有余岁，而诸侯相兼，史记放绝。今汉兴，海内一统，明主贤君忠臣死义之士，余为太史而弗论载，废天下之史文，余甚惧焉！汝其念哉！[1]

司马谈把他毕生的事业和理想最后遗留给司马迁了。他希望司马迁在他死后，仍然做一个太史；做了太史，不要忘记他所欲论著的一切。他以为一个人事亲、事君的最后目的在于自立，扬名后世，以显父母，这是最大的孝道。他看到孔子死后，至今四百多年，诸侯兼并，史记断绝。当今海内一统，明主贤君、忠臣义士等等应该论述的人物，他作为一个太史而没有去论述，废弃历史事业，甚为惶恐。他希望司马迁记住这件

① 《史记》卷一百三十《太史公自序》。

事。司马迁眼看这种情景，垂着头，流着眼泪说：“儿子虽然缺乏才能，但一定得把父亲所整理的历史旧闻论述无遗，不敢稍缺。”[①]之后，司马谈大概就瞑目长逝了。司马迁接受了父亲的遗命，因为他这次出使尚未复命，也因为他的郎中的经常职务，他不能多耽搁，必须赶快上山东侍从武帝。

原来武帝到了山东，并未立刻举行封禅，他听信方士的话，派了好几千人入海求蓬莱神人；自己也到处巡行、祭祀，幻想遇见神仙。夏四月，回到奉高（今山东泰安县东北），才准备封禅。但直到这时，这个典礼究竟如何举行，儒生和方士们还是各说一套，得不到一致的意见。最后武帝到泰山南面的小山梁父山上，举行了禅礼。随即到泰山东麓，用祭祀太一（上帝）的典礼，举行一次封礼。又与霍去病的儿子霍嬗到泰山顶上举行第二次封礼。下山后，再到泰山东北的小山肃然山举行第二次禅礼。礼毕，武帝坐明堂，受群臣百僚的更番上寿。武帝上泰山，无风无雨，显见比秦始皇有福气，方士们就说蓬莱神人似乎可以求得。于是武帝很高兴，复东至海上，希望遇到神人。不意霍嬗忽得暴病而死，武帝觉得有些扫兴，遂沿海北上，至碣石（海畔山，在今河北昌黎县北），巡

① 《史记》卷一百三十《太史公自序》。

辽西（治所阳乐，今辽宁义县西），历北边，至九原（今内蒙古包头市西）。五月，回到甘泉。武帝这一次巡行封禅，绕了一个大圈儿，行路万八千里，赏赐所过地方，“用帛百余万匹，钱金以巨万计”。司马迁乘扈从皇帝的机会，参观了长城内外，对祖国北方的认识更充实了。①

负薪塞河

公元前一〇九年（元封二年）的春天，方士公孙卿又报告说：“东莱山上神人出现，好像说欲见天子哩。”武帝听说，大为兴奋，即以公孙卿为中大夫。于是武帝东巡，过缑氏，至东莱。留宿数日，没看见神人，似见有巨人的足迹。复派方士，求神怪，采灵药，数以千计。这时久旱不雨，武帝觉得出巡无名，遂祈祷于万里沙神祠，又祭祀了泰山。然后就亲临濮阳（今河南濮阳县西南）的塞河工地。②

原来早在公元前一三二年（元光三年）的五月，黄河在濮阳瓠子决了口，东南注巨野（今山东巨野县），入淮泗，使

① 《史记》卷二十八《封禅书》、卷三十《平准书》、卷八十八《蒙恬列传》。
② 《史记》卷二十八《封禅书》。

十六郡人民受到灾害。[1]当时武帝曾命汲黯、郑当时发动十万人堵住决口。可是没有堵得牢，还是常常决开。这时贵戚武安侯田蚡为丞相，他的“奉邑食鄃（今山东平原县西南）。鄃居河北，河决而南，则鄃无水灾，邑收多”。田蚡就向武帝说：“江河之决皆天事，未易以人力为强塞。塞之，未必应天。”武帝听了田蚡的话，停止了瓠子的塞河工程。二十多年来，这个黄泛区就不断地发生灾害，年成很少丰收。直到举行封禅，在各处祭祀山川，武帝才又想起这件事来。大概他在此次东巡海上之前，已命汲仁、郭昌征发民工数万去塞瓠子了。这时武帝亲临濮阳的塞河工地，先举行了祭河礼，“沉白马玉璧于河”；然后就命文武侍从百官，都去背柴，参加塞河工作。决口处先用竹子一排一排地打下桩，然后填上土石和柴草。这时是春天，东郡人民又都烧草起火，因此柴草缺乏，工程进行得困难。武帝恐怕这一次塞河又不得成功，就用当时流行的楚歌体，作了两首悲壮、苍凉的歌：

瓠子决兮将奈何，皓皓旰旰兮闾殚为河！
殚为河兮地不得宁，功无已时兮吾山平。

① 《汉书》卷六《武帝纪》。

吾山平兮巨野溢，鱼沸郁兮柏冬日。
延道弛兮离常流，蛟龙骋兮方远游。
归旧川兮神哉沛，不封禅兮安知外！
为我谓河伯兮何不仁，泛滥不止兮愁吾人！
啮桑浮兮淮泗满，久不反兮水维缓。

河汤汤兮激潺湲，北渡迂兮浚流难。
搴长茭兮沉美玉，河伯许兮薪不属。
薪不属兮卫人罪，烧萧条兮噫呼何以御水！
穨林竹兮楗石菑，宣房塞兮万福来。

“不封禅兮安知外！”——武帝在为他的徒劳无功、愚惑人民的“封禅”进行辩护和赞扬。瓠子塞河工程，在武帝的亲临督责之下，文武侍从也都参加劳动了，数万真正的劳动大军也一定得到鼓舞，多年为害的瓠子决口终于塞起来了。为了纪念这个塞河工程的完成，武帝还在瓠子新堤上建筑一个宫，名“宣房宫”[1]。

司马迁这时虽新遭父丧，还在守制期间，但必须如常地侍

① 《史记》卷二十九《河渠书》。

从武帝。在这次塞河工程中，司马迁也参加了负薪的行列。武帝的《瓠子歌》，也使他深受感动。他的《河渠书》就是在这一事件的直接影响之下写出来的。

为太史令

司马谈逝世后的第三年——公元前一〇八年（元封三年），司马迁果如他父亲的遗言，正式做了太史令。这是司马迁从事著作事业的起点。桓谭说得很对："太史公不典掌书记，则不能条悉古今。"[①]太史令是六百石一级的官[②]，和部刺史、县令等官同级，实领月俸七十斛[③]，是所谓"长吏"之一，出行的时候，大概还可以乘一种左边有朱色屏障的车。[④]在一系列的官僚系统中，太史令虽然还是低级的，但总算属于所谓"卿大夫"一流了。它比起郎中来，固然堂皇得多，但

---

①《新论》，见《全汉文》卷十。

②《史记》卷一百三十《太史公自序》："（父谈）卒三岁，而迁为太史令。"《索隐》引《博物志》："太史令……司马迁……三年六月乙卯除，六百石。"《北堂书钞·设官》部引卫宏《汉旧仪》："太史令，冠一梁，秩六百石，丞二人，三百石。"《后汉书》卷五十九《张衡传》李贤注引《汉官仪》："太史令属太常，秩六百石也。"

③ 见《汉书》卷十九上《百官公卿表》上师古注。

④《汉书》卷五《景帝纪》。

实际上，司马迁却由“内廷”到“外廷”，由亲近武帝的一个侍从官员变为专制王朝的一个“近乎卜祝”的普通下级官员了。从这时起，司马迁官阶虽然升高了，其实却不过是“厕下大夫之列，陪外廷末议”[①]而已。但是司马迁得到这样一个职位，还是不很容易的，它需要有“文史星历”专门知识的人才能充任，而司马迁正是由于家学的传授而具备了这个条件的。司马迁抱着极大的热情来对待他的职位，他几乎断绝一切往还应酬，忘掉了个人的家庭事务，日夜思虑怎样贡献他的全部才能和智慧，专心一意地钻研自己的工作，以求得到武帝的欢心与信任。从为太史令起，他开始了未来的伟大工程的基础工作，所谓“紬史记石室金匮之书”[②]。这就是在国家的藏书处（石室金匮）阅读、整理一切历史资料。这个工作的开始是很困难的，因为从汉初解除“挟书律”到武帝这时候，国家的藏书已经非常丰富：“天下遗文古事，靡不毕集太史公。”[③]但是杂乱一堆，连一个可资查考的目录也没有。请设身处地想一下吧，司马迁以一人之力，从大堆杂乱的断简残

---

① 司马迁《报任安书》，参见《汉书》卷六十二《司马迁传》。

② 《史记》卷一百三十《太史公自序》。

③ 《史记》卷一百三十《太史公自序》，并可参见《汉书》卷三十《艺文志序》王先谦补注。

编里，抽出历史的故事条理，这需要怎样高度的热情和创造性的劳动啊！

但是司马迁在整理史料工作时，并不能整年整月地闭户读书，他还有一种无定的然而却是经常的职务，这就是和做郎中一样，仍需要侍从武帝。不过郎中的侍从职务，仅仅是跟随车驾，听候使唤；太史令就有比较固定的职务，比如筹备天地山川的祭祀典礼等。可以设想，公元前一〇七年（元封四年）冬十月的北巡，“通回中道（道路名，南起汧水河谷，北出萧关），遂北出萧关（在今宁夏固原县东南），历独鹿（山名，在今河北涿县西）、鸣泽（泽名，在今河北涿县西），自代（今河北蔚县西南）而还，幸河东（郡名，治所安邑，今山西夏县东北）”；公元前一〇六年（元封五年）冬的南巡，“至于盛唐（在庐江）[1]，望祀虞舜于九嶷；登灊天柱山（今安徽潜山县西北）；自寻阳（今湖北黄梅县西南）浮江……舳舻千里，薄枞阳（今安徽桐城县东南）而出……遂北至琅邪（今山东诸城县），并海，所过礼祠其名山大川。春三月还至泰山，增封。……夏四月……还幸甘泉，郊泰畤”；以及公元前一〇五年（元封六年）冬的北巡，“行幸回中。……

① 参见《十七史商榷》卷九《汉书》三《盛唐》条。

三月，行幸河东，祠后土”[1]：司马迁都曾因太史令的职务不断侍从武帝。他自己也说过：“余从巡祭天地诸神名山川而封禅焉。”[2]

到了公元前一〇四年（太初元年），司马迁更因他的太史令的专门职务[3]，倡议并主持了改历工作。

当时，改历工作是汉封建王朝建立后改换旧制度的一个重要部分。还在战国时代，就流行着齐人邹衍最初提倡的“五德终始”的学说。这种学说企图说明：历史上的改朝换代这一不断反复的现象，是由于客观世界的木、火、土、金、水五种物质力量规律性地前后替代而决定的。这五种物质力量叫做“五德”。它们的不断替代，反复循环，叫做“五德终始”。谁要是得了五德中的一德，谁就是受命天子，应该作为一个朝代的统治者。而受命的证验，就是那些非由人力而由天命出现的各式各样的“符瑞”。和五德相应的就是各个朝代的不同的制度。所以当五德轮流“走运”的时候，就有相应的符瑞

① 《汉书》卷六《武帝纪》。

② 《史记》卷二十八《封禅书》。

③ 《北堂书钞·设官》部引卫宏《汉旧仪》：“太史令，凡岁将终，奏新年历；凡国祭祀丧娶之事，掌奏良日及时节禁忌。”可见掌管历法是太史公的重要职务之一。

出现，就有新的朝代建立，就有一套制度改换。此种学说解释历史上的朝代，说最早黄帝得土德，后来夏得木德，商得金德，周得火德。因此，这些朝代各有相应的不同的符瑞和制度。这种学说产生并流行于战国后期，显然是统一形势的反映，是为新的朝代的出现准备思想条件的。第一次按照“五德终始”的公式办事的，是秦始皇。他在统一天下之后，以为周得火德，秦代周，当为水德，于是就定出一套与水德相应的制度：以十月朔为岁首；衣服、旄旗、旄节皆尚黑色；数以六为纪，如符、法冠皆六寸，舆六尺，步六尺，乘六马；统治极端严厉，事皆决于法，不讲仁义恩爱；并改黄河名为德水。[①] 在这种学说的传播之下，汉得天下之后，当然也要另搞一套。但是在汉初的数十年中，汉王朝究竟得到何德，却成了问题。汉高帝自以为是黑帝[②]，得水德，一切制度当然和秦一样，无须更改。这是适应当时天下初定，统治者无暇改变旧制度的实际情况的。文帝即位的初年，太中大夫雒阳（今河南洛阳县东北）人贾谊以为汉兴二十余年，应改制度，他按照土德的体系，提出一套改制方案来。[③] 当时贾谊还年轻，不久被元老们

---

①《史记》卷六《秦始皇本纪》。

②《史记》卷二十八《封禅书》。

③《史记》卷八十四《屈原贾生列传》。

排挤到长沙去了，他的改制计划也就无形中消失了。后来鲁人公孙臣上书，也以为秦得水德，汉当得土德。他主张汉应按土德改制。但当时丞相张苍却坚持汉仍是水德，公孙臣的建议同样被反对掉了。隔了一年（文帝十五年），据说黄龙出现于成纪（今甘肃秦安县北），于是文帝确信汉为土德，召公孙臣为博士，并命公孙臣草拟改制计划。[①]不过文帝后来并没有实行。武帝即位后，本来准备大搞一套，不料起初遭到祖母窦太后的反对，什么事也没干得成；后来军事繁忙，改制的事，暂时也顾不得了。到了元封元年，武帝既然举行了王者的封禅典礼，改制也就成为早晚必不可少的一幕。而积极推动武帝改制的主要人物之一就是司马迁。

原来汉兴以来，沿用秦之《颛顼历》，以致“朔晦月见，弦望满亏多非是”，早有改正朔的必要。司马迁为太史令后，大概已注意到整理历法，到了元封七年，他就和太中大夫公孙卿、壶遂等上书“言历纪坏废，宜改正朔”。司马迁等的建议原是从改正朔的实际需要出发的，在当时，武帝当然要把它和统治阶级受命改制的思想联系起来，就叫御史大夫兒宽和博士们共议：“今宜何以为正朔，服色何上？”兒宽和

①《史记》卷十《孝文本纪》、卷二十八《封禅书》。

博士赐等皆说："帝王必改正朔，易服色，所以明受命于天也。"于是武帝就正式命令司马迁、公孙卿、壶遂和侍郎尊、大典星射姓等共同制订汉历。为求精密起见，这个受命改历的小组就要求选聘更多的懂得历法的人参加工作。结果历法专家邓平、司马可、酒泉侯宜君、侍郎尊和民间的历法研究者共二十余人皆入选。年老的方士唐都，巴郡的隐士落下闳也都被请来了。在数十位专家共同努力推算之下，一个精密的新历终于确定下来了。[①] 这个新历，以正月为岁首，即有名的《太初历》，是对古历进行重大改革的成果。汉武帝并因此改元封七年为太初元年。五月，武帝下令改制，除改历一项外，仍从早先贾谊、公孙臣的建议，按土德系统宣布了下列的改革：色上黄，数用五，定官名，协音律。[②] 于是汉兴百年以来，汉王朝受命改制的思想终于成为现实了。由此可见，武帝实行改制是由实际的改历需要促成的，而改历则是由司马迁的倡议和主持而完成的。武帝的受命改制，大家知道，不过是汉封建王朝欺骗人民的虚伪的一幕，但以司马迁为主要负责人的改历，却是一件对人民有益的伟大工作。《太初历》以建寅之月

① 《汉书》卷二十一上《律历志》。

② 《汉书》卷六《武帝纪》，参见卷二十五下《郊祀志》。

为正月，即以含冬至之月（十一月）后两个月之月为正月，是所谓“夏正”，是孔子以来“行夏之时”理想的实现。它不合于“五德”系统，而合于所谓“三统”的系统。[①] 但它的价值，很明显，并不决定于是否符合封建统治阶级的思想系统，而决定于是否符合人民的需要。以司马迁为首的太初改历工作，对人民是需要的，是值得称道的。

---

① 刘向《谏营昌陵疏》：“王者必通三统，明天命所授者博，非独一姓也。”“三统”说是“五德终始”说以后的又一历史循环论。它以三代为一个循环；董仲舒《春秋繁露》卷七《三代改制质文》篇，对三统说曾作过解释。据三统说，夏为黑统，建寅；殷为白统，建丑；周为赤统，建子。周以后又轮到黑统，汉人撇开了秦，把汉定为黑统以继周。《太初历》建寅，是合于三统系统的。实际历法上所谓“三正”说在先，“行夏之时”早有需要，汉为黑统的说法，恐怕是为了适应历法上这种需要的。

著述理想的开始、挫折和坚持

开始了著述工作

公元前一〇四年（太初元年），汉武帝宣布改制，这在封建统治阶级看来，和公元前一一〇年（元封元年）的封禅一样，是具有特别重要的意义的。封禅是一个受命的王者向天上的上帝作报告，表明他作为一个天的代表者对人间的统治已经巩固了，已经大功告成了。改制乃是表明一个受命的王者，必有不同于前朝的、自己的制度，以显示出他是真正合格的、代替前朝的王者。显而易见，这些滑稽的花样，都是欺骗人民的幌子，都是封建统治者抬高自己以加强对人民群众的统治的办法。但当时的士大夫们的看法，却不是这样的。他们以为像封禅、改制这样的事，是千载难逢的盛典，是划时代的大事。司马谈把不能参加封禅，看做是终身憾事。从这一事件中，就可以看出，这种骗人的把戏，在当时一般士大夫的心目中是如何的神圣！司马迁在六年前参加了封禅；这时又参加了改制，倡议、主持并完成了改历工作，不难设想，当时他躬逢其盛，也是引以为荣、非常兴奋的！不过我们也要知道，改制一幕中最重要的一部分就是改历，而这是在司马迁的倡议、主持下完成的，因此司马迁对改制的兴奋，不是神秘和虚无的，而是确有实感的，因为他确乎做了一件最有价值的工作。

改制之后，那种神秘的太平盛世的气氛，使司马迁仿佛感觉到：作为孔子的一个继承人，著作《春秋》那样一部书的时候已经到来了。这时汉兴已经百年（公元前二〇六—前一〇四年），封建国家出现了空前统一的局面，政治、经济和文化，都有了进一步的发展；同时封建统治阶级对广大人民的压迫、剥削日益严重和残酷，阶级矛盾和统治阶级内部矛盾也不断地深化和复杂化：清理古代历史文化并记载秦汉以来的近代历史，是适应当时封建统治阶级的现实要求的。父亲司马谈的遗言他记得很清楚：周公卒后五百年而有孔子，孔子卒后到现在又有五百年，应该有人继承孔子，作一番述作事业。他觉得他有责任担当这种事业。这时和司马迁一道参加改历工作的上大夫壶遂，曾问司马迁：“当日孔子为什么要作《春秋》呢？”司马迁首先根据老师董仲舒的议论回答说：“当日孔子见天下混乱，知道自己的道理行不通，就在二百四十二年的时事之中表明是非，作为天下后世的是非标准，以为空说道理，还不如因事见义来得明白有用。”接着他就以董氏一派的春秋家的雄辩姿态，竭力赞扬《春秋》的作用：

> 夫《春秋》，上明三王之道，下辨人事之纪，别嫌疑，明是非，定犹豫，善善恶恶，贤贤贱不肖，存亡国，继绝世，补敝起废，王道之大者也！

他拿《春秋》和《易》、《礼》、《书》、《诗》、《乐》等经典来比较，认为“《春秋》辨是非，故长于治人”，“拨乱世反之正，莫近于《春秋》”。他认为“《春秋》文成数万，其指数千，万物之散聚，皆在《春秋》”。他认为无论为人君、为人臣、为人父、为人子，都必须通《春秋》之义，否则就要遭到各种不同的祸害。“故《春秋》者，礼义之大宗也。”很明显，司马迁认为《春秋》实在并不是一部简单的大事记，而是封建统治阶级的一部政治道德全书。但壶遂却又冷静地问道：“孔子当日不遇明君，到处碰壁不被任用，最后没有办法才作《春秋》，从文辞记事中表明礼义，以垂后世，作为一个新王的王法。至于现在你已经遇到圣明天子，得到一定的官职，天下万事都是有条有理，各得其当，足见已有王法了。你要继作《春秋》，究欲论明何事？”壶遂的这一反问，实在是对司马迁友谊的警告。因为过分强调《春秋》对乱世的作用，而司马迁又要继作《春秋》，那就无异说明当今不是什么太平盛世，而是一个乱世了。司马迁也知道片面强调孔子作《春秋》对乱世的作用是不完全的，有问题的。于是司马迁就以谦虚的态度说：“你的话很对，但是也还没有完全了解我的意思。我记得先父曾说过，伏羲那样纯朴，也作过《易》八卦；尧舜的盛德明载于《尚书》；汤武的兴隆有诗人歌颂。孔子作《春秋》，本来有两方面的作用，采善贬恶，推求三代之德以褒扬周室，并非仅仅是刺讥。汉兴以来，至当今天子，出现了符瑞，举行了封禅，改换了制度，受命于天，德泽及于无穷，海外那些不同习俗、不同语言的人请求献礼朝见，不知有多少。朝廷臣下百官，即使竭力称颂圣德，也无法称颂得了。天下有贤能而不被任用，是当权者的耻辱；主上有圣德而不能布闻于天下，那就是一切官吏的过失了。而且我是现任史官，废弃明圣盛德而不记载，绝灭功臣、世家、贤大夫的事业而不论述，忘记先人的遗言，这是莫大的罪过！我的计划不过是叙述故事，把杂乱的异闻传说整齐化、系统化而已，并不是什么创作，而你比之于作《春秋》，那是不对的。”[1]通过与壶遂的谈话，司马迁的著述志愿更坚定了，目的也更明确了，他虽谦虚说不敢比之于孔子作《春秋》，其实还是如此自许的。就在改历完成这一年，即太初元年，司马迁开始了继《春秋》的著述工作；这年他四十二岁，正是精力充沛的时候。

司马谈这时已经死去六年了，但是他曾经对司马迁说过：“今汉兴，海内一统，明主贤君忠臣死义之士，余为太史而弗论载，废天下之史文，余甚惧焉！汝其念哉！”司马谈的著述遗志对司马迁是不会没有影响的。司马迁和壶遂的谈话，最后也提到他现任史官，“废明圣盛德不载，灭功臣、世家、贤大夫之业不述，堕先人所言”[2]，是莫大的罪过。可以想象，司马迁的著述工作，主要就是以历史人物为中心而展开的，而他特别重视汉兴百年以来的近代人物。不过这一工作他是怎样开始的，又是怎样发展的，我们已无法具体知道了。他整理、阅读资料已经有了三四年的工夫，他的工作进行得很顺利，这一点却是可以想象的。然而无论司马迁怎样热心于他的著述工作，他根本不可能“闭户著书”；这时汉武帝已习惯于

① 《史记》卷一百三十《太史公自序》。
② 同上。

到各处巡狩、祭祀，司马迁必须照例侍从。在开始写作以后的七年之内，司马迁是在汉武帝不断出行的间歇中努力进行他的著述工作的。[①]不过侍从武帝出巡，是司马迁的职务以内的事，而且对他的著述工作是有帮助的。二十多年以来，司马迁从全国范围的游历之中获得的历史资料，已经和他的著述工作构成不可分割的关系。真正打断司马迁的著述工作的，不是汉武帝的每年的出巡，而是他的翻脸无情、极端残酷的刑法。

“遭李陵之祸”

汉武帝举行封禅、改制，不过是从宗教迷信的迷雾之中获得了“受命而王”这种骗人的精神上的自豪，实则现实的情况

---

① 据《汉书·武帝纪》：自太初元年至天汉三年武帝出巡的年月和地点如下：太初元年冬十月，行幸泰山。秋八月，行幸安定（郡名，治所安定，今宁夏固原县）。二年三月，行幸河东，祠后土。三年春正月，行东巡海上。夏四月，还，修封泰山，禪石闾。四年冬，行幸回中。天汉元年春正月，行幸甘泉，郊泰畤。三月，行幸河东，祠后土。二年春，行幸东海（郡名，治所郯，今山东郯城县北），还，幸回中。三年三月，行幸泰山，修封，祀明堂，因受计。还，幸北地（郡名，治马领，今甘肃庆阳县西北），祠常山（郡名，治所元氏，在今河北元氏县西北），瘗玄玉。又《汉书·儒林传》：“武帝巡狩所幸郡国凡四十九。”按，《汉书·地理志》下载西汉“凡郡国一百三”，则武帝巡幸所至已几及全国郡国之半。

并不是那么容易使他得到满足。很明显，北方的劲敌匈奴这时虽已被迫迁向西北，而其势力还是很强大的。自从公元前一一九年（元狩四年），汉大将军卫青、骠骑将军霍去病两路出师，与匈奴军会战取得大胜以后，匈奴休养兵马，演习骑射，暂时对汉军采取回避的态度。同时一再遣使来汉，请求和亲。汉武帝也有意罢兵言和。到公元前一〇七年（元封四年），匈奴扣留汉王朝使者路充国，此后“数使奇兵侵犯边”。汉王朝也转而采取再度加以制服的办法。公元前一〇〇年（天汉元年），匈奴且鞮侯单于初立，恐怕汉王朝乘机来袭击，就表示与汉和好的样子，把扣留在匈奴的汉使路充国等都放回来，并且卑谦地说：“我，儿子，怎敢同汉天子相比！汉天子是我的长辈。”[①] 武帝见匈奴单于如此礼貌，信以为真，遂派苏武以中郎将的身份出使匈奴，同样把扣留在汉朝的匈奴使臣送还，并送给且鞮侯单于丰富的礼物，以报答他想要与汉和好的美意。不料苏武和副中郎将张胜、随员常惠等百余人，到了匈奴，通明来意，且鞮侯单于反而因此非常骄傲起来，这使得汉王朝大失所望。苏武等刚要回来，恰巧匈奴内部一个谋反的案子泄露了，匈奴硬说苏武知道案情，遂把苏

---

①《史记》卷一百十《匈奴列传》。

武等扣留下来，后来匈奴威胁利诱，逼迫苏武投降，但苏武始终不屈，结果被徙于北海（今俄罗斯贝加尔湖）边牧羊，坚持十九年不屈。[①]

汉武帝得到这些消息后，遂于公元前九九年（天汉二年），命令宠姬李夫人的哥哥、贰师将军李广利统率三万骑出酒泉（今甘肃酒泉县），击匈奴右贤王于天山。并叫李陵从张掖（今甘肃张掖县西北）赶回来，负责贰师将军的后方辎重。李陵这人，是与匈奴作战七十余次的名将李广的孙子，少为建章宫监，骑射技术极精，而谦虚下士，甚得人爱，武帝也很赏识他，认为他有李广之风。李陵曾奉武帝之命率领八百骑，出居延（在今甘肃额济纳旗东南），视察地形，深入匈奴二千余里，没有看见一个敌人。回来以后，李陵就由建章监做了骑都尉，驻扎酒泉、张掖，教练敢死壮士五千人，防守西北胡人。他从张掖回到长安，见到了武帝，就叩头说："臣所率领的边防军，都是一些奇才剑客，南方勇士，力能扼虎，射必命中。愿意自编一队，到兰干山前，分散匈奴兵力，减轻贰师将军正面敌人的攻击。"武帝说："那么将给你什么军队呢？我出兵已经很多，没有骑兵给你。"李陵说："用不着骑

① 《史记》卷一百十《匈奴列传》、《汉书》卷五十四《苏武传》。

兵。臣愿意以少击众，就用步兵五千人直捣单于窝巢！”武帝见李陵如此勇敢，大加称赞，答应了李陵的请求，并命驻守在居延的强弩都尉路博德率军到张掖的半路上迎接李陵的五千壮士。路博德作过伏波将军，是一个老将，他觉得这样去迎接李陵，做李陵的脚后跟是可羞的，因而奏呈武帝说：“现在正是秋天，匈奴马肥兵壮，未可与战。臣愿意留李陵住下来，到明年春天，我们每人各率酒泉、张掖骑兵五千人，一起去打东西浚稽山（约在今蒙古人民共和国图拉河与鄂尔浑河间），那一定可以捉住单于。”武帝看了路博德的奏书，非常生气，他以为李陵先说大话，后来胆小，自己不肯出塞，却教路博德从旁上书。他立刻就给路博德诏书：“我本意要给李陵骑兵，他说用不着，要以少击众。现在敌人已入西河，赶快带兵去西河，截断敌人进袭的道路！”同时也给李陵诏书：“一定要在九月里，出遮虏鄣（即居延塞），到达东浚稽山南的龙勒水上，四处侦察敌方的动静。如果看不见敌人，就到受降城（今内蒙古巴彦淖尔盟狼山西北）休息整编队伍，并立刻用快骑来报告。你跟路博德讲了些什么话，也要老实交代！”李陵得到诏书，当然不敢怠慢，就率领他的五千壮士，出居延，又北行三十天，到达指定的浚稽山扎营，并立刻叫他的部下陈步乐回去报告。陈步乐见到了武帝，说李陵很得军心，五千壮士无不死力拥护。武帝听了也觉高兴，就把陈步乐留下来做一个郎。不料陈步乐走后，李陵遭遇到匈奴主力，单于率领的三万骑围上来了。敌人见汉军甚少，就直向李陵的营前扑来。李陵率壮士奋勇迎战，千弩俱发。敌人见陵军来势凶猛，就向浚稽山上败退，陵军追击，杀敌数千人。单于大吃一惊，于是用八万余骑，再来围攻李陵。李陵突围之后，且战且走，南行数日，到了一个山谷。这时，壮士们中矢受伤的已不少，李陵整编了一下，明日复战，又杀敌三四千人。陵军向东南顺龙城（在今鄂尔浑河西侧和硕柴达木湖附近）故道败退，行四五日，遇到一个芦花荡。敌人从上风放火，李陵也在军中放火自救（他预先烧掉自己近旁的草木，不让敌人的火延烧过来）。又南行，到一山下。单于在南山上，使其子率骑兵来攻击。陵军在树木间苦斗，复杀敌数千人。并发“连弩”射单于，骇得单于逃下山来。这时单于见连战不胜，恐怕汉有伏兵，已经不敢再追。适巧陵军的一个军候管敢为校尉所辱，一气逃到匈奴，说陵军无后援，箭快要完了，现在只有李陵和成安侯韩延年所部各八百人为前行，那以黄与白为旗帜的便是。如用精锐骑兵去追击，准可以打败他们。单于知道了陵军虚实，因使骑兵再一次围攻。敌人呼喊：“李陵、韩延年快投降！”并截断了陵军归路。李陵被围在一个山谷里，敌人在山上四面射击，箭如雨下。陵军复突围南行，一日之内五十万支箭皆射完了。这时陵军尚有三千多人，车子也不要了，手里拿的只有从车轮上砍下来的车辐；军官们也仅有尺把长的一把短刀。陵军奔入了狭谷，敌人赶来，挡住了谷口，并利用山角的掩护向谷中扔石头，陵军死伤甚多，无法再战。这天夜晚，李陵一个人便衣出营，并对左右说："不用跟着我，大丈夫当独取单于头！"好久回来，又长叹一声："打败仗，该死了！"有的军官说："将军威震匈奴，不得成功是天命，不如暂时投降，日后再设法归汉。浞野侯赵破奴当了敌人的俘虏，过了四年逃了回来，天子还宽容他，何况将军呢？"李陵说："您劝我不要死，不是一个好汉！"于是李陵把一切旗帜皆斩坏了，并把一些珍宝物件埋藏在地下，叹口气说："我们每人如再有数十支箭，就可以脱身了。现在兵器没有了，挨到天亮只好坐着受缚。不如大家早作鸟兽散，总会有几个人可以逃回去报告天子。"说罢，就命军士每人带二升干粮，一片冰，准备逃跑，逃到遮虏鄣的就等着集合。到了夜半，陵军击鼓行动，鼓不响了。李陵和韩延年上了马，从狭谷里冲出来，跟随的壮士仅十多人，敌人数千骑在后面追着。韩延年战死了。李陵说："无面目报陛下！"遂下马投降。突围的壮士四处逃散，最后逃到边塞的只有四百多人。[1]

李陵打败仗的地方，离边塞仅百多里，消息很快传报到武帝那里。武帝得到李陵投降的快报，就大发脾气，责问陈步乐，逼得陈步乐无话可说，只好自杀。朝廷上一般公卿王侯，当李陵未败时，曾为武帝庆幸，奉觞祝贺。这时听说李陵败了，也只好改过口来，都说李陵有罪。武帝拿不定主意，吃饭无味，坐朝不安，大臣们也都骇得不知怎么办才好。[2]

司马迁看见武帝那种凄惨难堪的样子，就很想说一两句话，参一下“外廷末议”。司马迁早年见过李广。后来和李陵是同事，他们并没有成为要好的朋友。平日志趣不同，从未一起喝过酒，表示他们的友谊。但司马迁平日观察人物，深觉李陵这人是一个“奇士”：事母至孝；对人诚实；见财不眼红，取予都很有道理；对待不同的人物又能够分别礼让，谦虚谨慎，甘居人下。更重要的，李陵还时刻准备着奋不顾身，以救国家的危急。因此在司马迁看起来，李陵平日的操行修养，实在有“国士之风”。现在，问题摆在司马迁的面前，李陵投降匈奴了，他的看法怎样呢？司马迁以为李陵作为一个“人臣”，为了解救国家的患难，冒万死于不顾，已经

①《汉书》卷五十四《李陵传》。

② 司马迁《报任安书》。

够“奇”的了。李陵一有错误，那些在家里保全自己和妻子的人们，随即加油加醋数说李陵的过失，实在不免令人痛心。依照司马迁的看法，李陵率步兵不满五千人，深入敌人的骑兵出没之地，到达敌人的“王庭”，“垂饵虎口，横挑强胡”，而与单于连战十余日，所杀敌人已超过他所能做的限度。敌人救死扶伤，人力不足，单于大为恐慌，于是征调左、右贤王的全部武装，动员一切挽弓的人民，倾国之众一起来围攻。李陵孤军转斗千里，最后矢尽道穷而救兵不至，士卒死伤成堆。但是李陵一呼，士卒无不奋起，抹去了鲜血，止住了眼泪，开无箭之弓，冒白刃，北向和敌人肉搏死拼。李陵平日和士卒同甘共苦，所以士兵们能拼命出力，就是古代的名将也是不能超过他的。现在李陵虽然战败，身陷匈奴，他大概是看光景说话，准备将来等到适当的时机来报答汉朝。他这样做，实在因为事情已到了无可奈何的境地。李陵对于敌人作了致命的打击，功劳已很不小，那是足以宣告天下的。

司马迁在那时还没有考虑到李陵叛汉的严重性[①]，只是抱有不平之心，想找机会向武帝陈述自己的意见。恰巧武帝把司马迁叫了去，询问他对李陵事件的看法。司马迁直言不讳，竭

① 司马迁后来在《报任安书》中说，“李陵既生降，隤（颓）其家声”，他对李陵的看法是有所改变的。

力赞扬李陵的功劳，希望武帝不必深责李陵，因而止住那些翻脸不认人、企图对李陵进行陷害的坏话。不料武帝不等司马迁把话说完，就大怒起来。武帝以为司马迁这样赞扬李陵打匈奴有功，实际上就是说明贰师将军无功，故意打击贰师，抬高李陵，为李陵游说。司马迁就这样得罪了武帝，下了监狱。他的“款款之愚”和“拳拳之忠”，到底无法向武帝表白。这时司马迁的一班朋友们，没有谁敢出来奔走营救；武帝左右的那些亲贵也没有谁肯为他讲一句话，他只得“独与法吏为伍，深幽囹圄之中”而莫可告诉。① 封建法庭严刑审讯的结果，司马迁得了诬罔主上的罪名，是一个死罪。② 这时是公元前九八年（天汉三年），司马迁开始著述的第七年，他的全部工作，还在“草创未就”的时候。

“就极刑而无愠色”

封建王朝的法律，原是保护封建统治阶级利益、压迫人

---

① 司马迁《报任安书》。

② 《汉书》卷六十二《司马迁传》、卷五十四《李陵传》。按《汉书》卷六《武帝纪》：“乐通侯栾大坐诬罔要（腰）斩。”可知“诬罔”是死罪。参见程树德《汉律考》卷四《律杂考·诬罔》条。

民的工具。汉武帝时代，犯死罪的人，根据两种旧例可以免死：一种是拿钱赎罪，另一种是受“腐刑”。显然有钱的人犯死罪，就可以不死，没钱的人犯死罪，要想不死，只好甘受腐刑。[①] 司马迁这时得了死罪究竟需要多少钱就可以不死，史无明文，不能确实知道；但从此后三年内的减死诏令及其他记载看来，可以推想，大概需要钱五十万左右。[②] 司马迁既然得不到朋友的帮助，而自己又官小家贫，哪里能有这么多钱！所以用钱赎罪这一条生路，司马迁和一般穷人一样是走不通的。

四十八岁的司马迁，仅仅由于他的良心、公正和直言，遭到了如此不幸的冤狱，“交手足，受木索，暴肌肤，受榜棰，幽于圜墙之中；当此之时，见狱吏则头枪地，视徒隶则心惕息”。他怎样对待这个不测的命运呢？他想起他的先人并没有立过什么赫赫功勋，小小的“文史星历”，不过是“卜祝”之

---

① 《汉书》卷五《景帝纪》中四年：“夏……死罪欲腐者许之。”此条立自景帝，以后武帝及东汉诸帝时沿用之。另可参见程树德《汉律考》卷二《刑名考·宫》条。

② 《汉书》卷六《武帝纪》天汉四年：“秋九月，令死罪入赎钱五十万，减死一等。”又太始二年：“九月，募死罪人赎钱五十万，减死一等。”这是司马迁得死罪后三年内的事。又同书《肖望之传》：“闻天汉四年，常使死罪人入五十万钱减死罪一等，豪强吏民请夺假贷，至为盗贼以赎罪。”因此推想司马迁当时要赎死罪大概也需要五十万钱。犯死罪者可以入钱赎死，是汉代封建王朝的一条法律。入钱多少，前后不等。请参见程树德《汉律考》卷二《刑名考·赎刑》条。

流，主上视如供戏弄的倡优，社会上也没有谁瞧得起，诚为理所当然。他觉得假使他就这样“伏法受诛”，那不过“若九牛亡一毛，与蝼蚁何异”。他觉得他这样的死，又不能和那些轰轰烈烈的“死节者比”，人家不过以为他罪有应得，该死！是的，人总不免一死。但“死有重于泰山，或轻于鸿毛”，死的代价是有大小的。司马迁首先考虑的是死不死的问题，是值不值得死的问题。显而易见，司马迁觉得他这样的死是毫无代价、很不值得的。但是不死，要受“腐刑”，这是莫大的耻辱！他以为“太上不辱先，其次不辱身，其次不辱理色，其次不辱辞令，其次诎体受辱，其次易服受辱，其次关木索被棰楚受辱，其次鬄毛发婴金铁受辱，其次毁肌肤断支体受辱，最下腐刑，极矣”。人总该有人的尊严，不能轻易地受辱。但在司马迁的面前只有这样两条路：死呢，还是受最耻辱的腐刑呢？他看到目前事已至此，如猛虎之在阱槛，摇尾而求食，不得不受人的“威约”；受辱是受定了的。如果还要说“不辱”，那不过是自欺欺人，伪装笑脸罢了。他想起西伯、李斯、韩信、彭越、张敖、周勃、窦婴、季布、灌夫等人物，“皆身至王侯将相，声闻邻国”，但到了祸临莫测的时候，也都不能断然自裁，而忍垢于尘埃之中：古今多少英雄豪杰，还不是一样的受到耻辱。所谓勇敢、懦弱，原来没有一定，而是由于当时的形势决定的。而且他还觉得，一个人“不能蚤自财绳墨之外，已稍陵夷至于鞭棰之间，乃欲引节，斯不亦远乎！”司马迁这样一想，他的死与受辱的纠缠好像容易解开了。但他忽又想到，一般人总是贪生恶死、留念亲戚、顾恋妻子的，只有那些“激于义理”的人，才能相反。他相信自己不是那种怕死的人，他早已失去父母，没有兄弟，孤单一人，对妻子也没有什么顾恋。他以为“勇者不必死节，怯夫慕义，何处不勉焉”。他即使承认自己是一个懦弱的人，要想苟活偷生，却也晓得何去何从，何至甘愿忍受牢狱中的侮辱！多少奴隶婢妾，犹能决然而死，何况他受辱至此，还能活下去吗？司马迁千思万虑，他觉得除了他的平生著作理想还未实现之外，实无忍辱苟活之理。他想起“西伯拘而演《周易》；仲尼厄而作《春秋》；屈原放逐，乃赋《离骚》；左丘失明，厥有《国语》；孙子膑脚，《兵法》修列；不韦迁蜀，世传《吕览》；韩非囚秦，《说难》、《孤愤》；《诗》三百篇大氐（抵）贤圣发愤之所为作也。此人皆意有所郁结，不得通其道，故述往事，思来者。及如左丘明无目，孙子断足，终不可用，退论书策以舒其愤，思垂空文以自见”。历史上这一系列人物，也都是在遭遇了不幸之后，发愤著书，以鸣其不平于天下后世的。司马迁终于在封建统治的体系之外，看到了自己的生路，决计忍辱含垢，坚持他的著作理想。也就在天汉三年，司马迁“卒从吏议”，甘心下“蚕室”[①]，“就极刑而无愠色”[②]，他受了残酷的耻辱的腐刑。从此以后，他的写作得到更大的力量，而在若干作品里也就自然地流露了自己的不幸遭遇的隐痛了。[③]

---

① “蚕室”是执行腐刑（一称宫刑）的一种特别监狱。《后汉书·光武帝纪》建武二十八年：“冬十月癸酉，诏死罪系囚，皆一切募下蚕室。”李贤注：“蚕室，宫刑狱名。有刑者畏风，须暖作窨室，蓄火如蚕室，因以名焉。”又《汉书·张安世传》：“安世为贺上书，得下蚕室。”师古曰：“谓腐刑也。凡养蚕者欲其温而早成，故为密室蓄火以置之。而新腐刑亦有中风之患，须入密室，乃得以全，因呼为蚕室耳。”

② 司马迁《报任安书》。

③《史记》卷六十三《老子韩非列传》：“余独悲韩子为《说难》，而不能自脱耳。”又《孙子吴起列传》：“孙子筹策庞涓明矣，然不能蚤救患于被刑。”又《伍子胥列传》：“向令伍子胥从奢俱死，何异蝼蚁。弃小义雪大耻，名垂于后世。悲夫！方子胥窘于江上，道乞食，志岂尝须臾忘郢邪！故隐忍就功名，非烈丈夫孰能致此哉！”又《范雎蔡泽列传》：“然士亦有偶合，贤者多如此二子，不得尽意，岂可胜道哉！然二子不困厄，恶能激乎？”又《廉颇蔺相如列传》：“知死必勇。非死者难也，处死者难。”又《魏豹彭越列传》：“魏豹、彭越……怀畔逆之意，及败，不死而虏囚，身被刑戮，何哉？中材以上，且羞其行，况王者乎！彼无异故，智略绝人，独患无身耳。得摄尺寸之柄，其云蒸龙变，欲有所会其度，以故幽囚而不辞云。”又《季布栾布列传》：“……季布以勇显于楚，身屦典军搴旗者数矣，可谓壮士。然被刑戮、为人奴而不死，何其下也。彼必自负其材，故受辱而不羞，欲有所用其未足也，故终为汉名将。贤者诚重其死。夫婢妾贱人，感慨而自杀者，非能勇也，其计画无复之耳。栾布哭彭越，趣汤如归者，彼诚知所处，不自重其死。虽往古烈士，何以加哉！”按司马迁所以不死而甘受腐刑的大辱，俱详于《报任安书》，如正文所述。这里所引资料显然是同一思想的不断流露。

一个坚持理想的老人

司马迁出狱之后，大概在公元前九六年（太始元年）左右，做了中书令。[①]中书令一职，“领赞尚书，出入奏事，秩千石”[②]。这个职位，从表面上看，比太史令高。它的经常职务是把皇帝的命令下到尚书，也把尚书的奏事转呈给皇帝。从此以后，司马迁以一个宦者的身份，在内廷侍候，更接近武帝了，好像“尊宠任责”[③]，而实际上已“为埽（扫）除之隶”、“闺阁之臣”[④]了。他除了坚持他的著述工作以外，对朝廷内外的一切事务，已经毫无兴味，往往精神恍惚，“居则忽忽若有所亡，出则不知所如往”[⑤]。他的内心忍受着痛苦的煎熬和无限的愤恨，“每念斯耻，汗未尝不发背沾衣也”[⑥]。

司马迁的一个朋友任安曾经在公元前九三年（太始四年）

① 参见王国维《太史公行年考》、郑鹤声《司马迁年谱》。
② 《唐六典》卷九引卫宏《汉旧仪》。
③ 《汉书》卷六十二《司马迁传》。
④ 司马迁《报任安书》。
⑤ 同上。
⑥ 同上。

的四五月间，写信给他，“教以慎于接物，推贤进士为务”。任安是出于好意，勉励他，安慰他，希望他有所作为。但在这好意里面，却也包含着把司马迁当做一般宦者的看法，以为他身在内廷，接近武帝，容易乘机进言。不知司马迁“自以为身残处秽，动而见尤，欲益反损，是以抑郁而无谁语”。当时司马迁因为“会东从上来，又迫贱事，相见日浅，卒卒无须臾之间”[①]，没有给任安回信。到了十一月，司马迁因为任安犯了罪可能于次月受刑，他自己也要于彼时“从上上雍”，才不得不给任安写回信[②]：

少卿[③]足下：曩者辱赐书，教以慎于接物，推贤进士为务，意气勤勤恳恳，若望仆不相师用，而流俗人之言。仆非敢如是也。虽罢驽，亦尝侧闻长者遗风矣。顾自以为身残处秽，动而见尤，欲益反损，是以抑郁而无谁语。谚曰：“谁为为之，孰令听之？”盖钟子期死，伯牙终身不复鼓琴。何则？士为知己用，女为说（悦）己容。若仆大质已亏缺，虽材怀随、和，行若由、夷，终不

① 司马迁《报任安书》。

② 从王国维说，定《报任安书》写于太始四年十一月。

③ 任安，字少卿，事见《史记》卷一百四《田叔列传》褚先生补传。

可以为荣，适足以发笑而自点耳。

书辞宜答，会东从上来，又迫贱事，相见日浅，卒卒无须臾之间得竭指意。今少卿抱不测之罪，涉旬月，迫季冬，仆又薄从上上雍，恐卒然不可讳。是仆终已不得舒愤懑以晓左右，则长逝者魂魄私恨无穷。请略陈固陋。阙然不报，幸勿过。

仆闻之，修身者智之府也，受施者仁之端也，取予者义之符也，耻辱者勇之决也，立名者行之极也。士有此五者，然后可以托于世，列于君子之林矣。故祸莫憯于欲利，悲莫痛于伤心，行莫丑于辱先，而诟莫大于宫刑。刑余之人，无所比数，非一世也，所从来远矣。昔卫灵公与雍渠载，孔子适陈；商鞅因景监见，赵良寒心；同子参乘，爰丝变色：自古而耻之。夫中材之人，事关于宦竖，莫不伤气，况慷慨之士乎！如今朝虽乏人，奈何令刀锯之余荐天下豪隽哉！仆赖先人绪业，得待罪辇毂下，二十余年矣。所以自惟：上之，不能纳忠效信，有奇策材力之誉，自结明主；次之，又不能拾遗补阙，招贤进能，显岩穴之士；外之，不能备行伍，攻城（野战），有斩将搴旗之功；下之，不能累日积劳，取尊官厚禄，以为宗族交游光宠。四者无一遂，苟合取容，无所短长之效，可见于此矣。乡者，仆亦尝厕下大夫之列，陪外廷末议。不以此时引维纲，尽思虑，今已亏形为埽除之隶，在阘茸之中，乃欲卬首信眉，论列是非，不亦轻朝廷，羞当世之士邪！嗟乎！嗟乎！如仆，尚何言哉！尚何言哉！

且事本末未易明也。仆少负不羁之才，长无乡曲之誉，主上幸以先人之故，使得奉薄技，出入周卫之中。仆以为戴盆何以望天，故绝宾客之知，忘室家之业，日夜思竭其不肖之材力，务壹心营职，以求亲媚于主上。而事乃有大谬不然者。夫仆与李陵俱居门下，素非相善也，趣舍异路，未尝衔杯酒接殷勤之欢。然仆观其为人自奇士，事亲孝，与士信，临财廉，取予义，分别有让，恭俭下人，常思奋不顾身以徇国家之急。其素所畜积也，仆以为有国士之风。夫人臣出万死不顾一生之计，赴公家之难，斯已奇矣。今举事壹不当，而全躯保妻子之臣随而媒孽其短，仆诚私心痛之。且李陵提步卒不满五千，深践戎马之地，足历王庭，垂饵虎口，横挑强胡，卬亿万之师，与单于连战十余日，所杀过当。虏救死扶伤不给，旃裘之君长咸震怖，乃悉征左右贤王，举引弓之民，一国共攻而围之。转斗千里，矢尽道穷，救兵不至，士卒死伤如积。然李陵一呼劳军，士无不起，躬流涕，沫血饮泣，张空拳，冒白刃，北首争死敌。陵未没时，使有来报，汉公卿王侯皆奉觞上寿。后数日，陵败书闻，主上为之食不甘味，听朝不怡。大臣忧惧，不知所出。仆窃不自料其卑贱，见主上惨凄怛悼，诚欲效其款款之愚。以为李陵素与士大夫绝甘分少，能得人之死力，虽古名将不过也。身虽陷败，彼观其意，且欲得其当而报汉。事已无可奈何，其所摧败，功亦足以暴于天下。仆怀欲陈之，而未有路。适会召问，即以此指推言陵功，欲以广主上之意，塞睚眦之辞。未能尽明，明主不深晓，以为仆沮贰师，而为李陵游说，遂下于理。拳拳之忠，终不能自列，因为诬上，卒从吏议。家贫，财赂不足以自赎，交游莫救，左右亲近不为壹言。身非木石，独与法吏为伍，深幽囹圄之中，谁可告愬者！此正少卿所亲见，仆行事岂不然邪？李陵既生降，隤其家声；而仆又茸以蚕室，重为天下观笑。悲夫！悲夫！

事未易一二为俗人言也。仆之先人非有剖符丹书之功，文史星历近乎卜祝之间，固主上所戏弄，倡优畜之，流俗之所轻也。假令仆伏法受诛，若九牛亡一毛，与蝼蚁何异？而世又不与能死节者比，特以为智穷罪极，不能自免，卒就死耳。何也？素所自树立使然。人固有一死，死有重于泰山，或轻于鸿毛，用之所趋异也。太上不辱先，其次不辱身，其次不辱理色，其次不辱辞令，其次诎体受辱，其次易服受辱，其次关木索被棰楚受辱，其次鬄毛发婴金铁受辱，其次毁肌肤断支体受辱，最下腐刑，极矣。传曰“刑不上大夫”，此言士节不可不厉也。猛虎处深山，百兽震恐，及其在阱槛之中，摇尾而求食，积威约之渐也。故士有画地为牢势不入，削木为吏议不对，定计于鲜也。今交手足，受木索，暴肌肤，受榜棰，幽于圜墙之中；当此之时，见狱吏则头枪地，视徒隶则心惕息。何者？积威约之势也。及已至此，言不辱者，所谓强颜耳，曷足贵乎！且西伯，伯也，拘牖里；李斯，相也，具五刑；淮阴，王也，受械于陈；彭越、张敖南乡称孤，系狱具罪；绛侯诛诸吕，权倾五伯，囚于请室；魏其，大将也，衣赭关三木；季布为朱家钳奴；灌夫受辱居室。此人皆身至王侯将相，声闻邻国，及罪至罔加，不能引决自财。在尘埃之中，古今一体，安在其不辱也。由此言之，勇怯，势也；强弱，刑也。审矣，曷足怪乎！且人不能蚤自财绳墨之外，已稍陵夷至于鞭棰之间，乃欲引节，斯不亦远乎！古人所以重施刑于大夫者，殆为此也。夫人情莫不贪生恶死，念亲戚，顾妻子，至激于义理者不然，乃有不得已也。今仆不幸，蚤失二亲，无兄弟之亲，独身孤立，少卿视仆于妻子何如哉？且勇者不必死节，怯夫慕义，何处不勉焉！仆虽怯耎欲苟活，亦颇识去就之分矣，何至自湛溺累绁之辱哉！且夫臧获婢妾犹能引决，况若仆之不得已乎！所以隐忍苟活，函粪土之中而不辞者，恨私心有所不尽，鄙没世而文采不表于后也。

古者富贵而名摩灭，不可胜记，唯俶傥非常之人称焉。盖西伯拘而演《周易》；仲尼厄而作《春秋》；屈原放逐，乃赋《离骚》；左丘失明，厥有《国语》；孙子膑脚，《兵法》修列；不韦迁蜀，世传《吕览》；韩非囚秦，《说难》、《孤愤》；《诗》三百篇，大氐贤圣发愤之所为作也。此人皆意有所郁结，不得通其道，故述往事，思来者。及如左丘明无目，孙子断足，终不可用，退论书策以舒其愤，思垂空文以自见。仆窃不逊，近自托于无能之辞，网罗天下放失旧闻，考之行事，稽其成败兴坏之理，凡百三十篇，亦欲以究天人之际，通古今之变，成一家之言。草创未就，适会此祸，惜其不成，是以就极刑而无愠色。仆诚已著此书，藏之名山，传之其人，通邑大都[①]，则仆偿前

① 《史记》卷一百三十《太史公自序》此句作“副在京师”。

辱之责，虽万被戮，岂有悔哉！然此可为智者道，难为俗人言也。

且负下未易居，下流多谤议。仆以口语遇遭此祸，重为乡党戮笑，污辱先人，亦何面目复上父母之丘墓乎？虽累百世，垢弥甚耳！是以肠一日而九回，居则忽忽若有所亡，出则不知所如往。每念斯耻，汗未尝不发背沾衣也。身直为闺阁之臣，宁得自引深藏于岩穴邪！故且从俗浮湛，与时俯仰，以通其狂惑。今少卿乃教以推贤进士，无乃与仆之私指谬乎。今虽欲自雕琢，曼辞以自解，无益，于俗不信，只取辱耳。要之死日，然后是非乃定。书不能尽意，故略陈固陋。①

在这封有名的《报任安书》里，司马迁把他因李陵事件得祸的经过和蒙受的莫大耻辱，以及所以“隐忍苟活”而不能“推贤进士”的苦心，悲凉沉痛地呈献在故人之前，而以“死日然后是非乃定”自誓。这是一篇对封建专制淫威的控诉状，一篇饱含愤郁感情的自叙文，一篇往复自明的“无韵的《离骚》”。在这封信里，司马迁也告诉任安一个重要的消

---

①《汉书》卷六十二《司马迁传》，据中华书局标点本。

息："近自托于无能之辞，网罗天下放失旧闻，考之行事，稽其成败兴坏之理，凡百三十篇，亦欲以究天人之际，通古今之变，成一家之言。"这样看来，司马迁毕生努力的著述工作已经基本完成了。[①] 这是司马迁的理想、血汗和坚忍不拔的精神的结晶，是值得后人庆幸的一件大事。司马迁这时是五十三岁。

从此以后，司马迁的事迹已无可考，他最后活到多大年纪，也很难有确定的答案。他大概卒于武帝末年（公元前八七年），他的一生与武帝相始终。[②]

司马迁的作品，本来还有赋八篇。[③] 现在我们可以看到的，只有一篇《感士不遇赋》，我们虽不能确定其产生的年代，但大致可以相信，它是司马迁晚年的思想情绪的反映。据严可均辑《全汉文》，其文如下：

悲夫士生之不辰，愧顾影而独存。恒克己而复礼，惧志行之无闻。谅才韪而世戾，将逮死而长勤。虽有形而不

① 下文有："仆诚已著此书，藏之名山，传之其人，通邑大都，则仆偿前辱之责，虽万被戮，岂有悔哉！"则似尚未最后完成。

② 按，司马迁卒年不可考。兹从王国维（《太史公行年考》）、梁启超（《要籍解题及其读法》）、郑鹤声（《司马迁年谱》）和泷川龟太郎（《太史公年谱》）诸家说。

③《汉书》卷三十《艺文志·陆贾赋》类。

彰，徒有能而不陈。何穷达之易惑，信美恶之难分。时悠悠而荡荡，将遂屈而不伸。使公于公者，彼我同兮，私于私者，自相悲兮。天道微哉，吁嗟阔兮，人理显然相倾夺兮。好生恶死，才之鄙也；好贵夷贱，哲之乱也。照照洞达，胸中豁也；昏昏罔觉，内生毒也。我之心矣，哲已能忖；我之言矣，哲已能选。没世无闻，古人惟耻。朝闻夕死，孰云其否。逆顺还周，乍没乍起。理不可据，智不可恃。无造福先，无触祸始。委之自然，终归一矣。

这是一篇有典型意义的抒情小赋，在“美恶难分”的封建专制淫威下，一个公正的、有才能的士大夫，大概总会遭遇到“理不可据，智不可恃”的命运的。从这篇作品里，我们看见一个饱经忧患、感慨深沉而又“逮死长勤”、终身坚持理想的老人。

司马迁一生，作过郎中、太史令和中书令三个官职。在汉王朝的官僚系统中，这些官职的地位虽然不高，但是也由于这些官职，他有可能不断地游历了统一国家的壮阔山河，接触了广大人民，认识了许多师友和当代著名人物[①]，看到了封建王

① 郑鹤声《司马迁年谱》附表四《司马迁交游表》。

朝从内廷到外廷的官僚政治的面貌和实质，阅读了封建王朝的大量资料和藏书。他的生活、经验和学问修养都是极端丰富而广博的。司马迁坚持完成的著作和他的生活、经验、学问，构成了血肉相连不可分离的密切关系。

司马迁有一个女儿，嫁给官至丞相的华阴人杨敞，生二子忠、恽。杨恽是爱读外祖司马迁所著书并使之传布的第一人。[①]他的子孙后代，名字已无可考，至王莽时始被封为仅是“美称”，而不是实际封爵的“史通子”。[②]

---

①《汉书》卷六十六《杨恽传》、卷六十二《司马迁传》。

②《汉书》卷六十二《司马迁传》，参见王先谦《汉书补注·司马迁》。

伟大的现实主义的历史家和文学家

伟大的著作

司马迁从公元前一〇八年（元封三年）为太史令后开始阅读、整理史料，准备写作，到公元前九三年（太始四年）全部写作计划基本完成，共经历了十六年。这是他的著述事业的主要阶段。在这十六年中间，他主持了改历工作，随后“遭李陵之祸”，虽然因此耽搁了一些时间，但实际上这种特殊的工作和不幸的遭遇却成为鼓舞和推动他写作的一种巨大的力量。在这之前，从公元前一二六年（元朔三年）到公元前一〇九年（元封二年），由于漫游、扈从和奉使的缘故，他的读书时间好像很少，但实际上这种不断的漫游、扈从和奉使，却成为他后来写作资料的一个重要来源。在这之后，即在公元前九二年（征和元年）以后，他除了担任中书令一职，经常在皇帝和尚书中间传达事务外，在晚年的主要工作就是对于他的全部著作的修补或加工。司马迁生命的过程，就是他的著作事业的准备、创造与完成的过程。司马迁和他的著作事业是不可分的。

司马迁一生用血汗换来的著作，大家都知道，就是继《春秋》、“究天人之际，通古今之变，成一家之言”的“太史公书”，也就是汉末灵、献以后大家习惯称呼的“史记”[①]。

《史记》记事，开始于黄帝，终止于汉武帝太初（公元前一〇四—前一〇一年）年间，首尾上下，包含汉族三千年发展的历史。[②]它的全书有“十二本纪”、“十表”、“八书”、“三十世家”、“七十列传”，共一百三十篇，五十二万六千五百字。它是用本纪、表、书、世家、列传

① 从近人杨明照说，详见杨氏《太史公书称史记考》一文，载《燕京学报》第二十六期，一九三九年十二月，燕京大学哈佛燕京学社出版。

② 《史记》记事的最晚年限，司马迁自谓止于“太初”，见《史记·太史公自序》。但实际上并不是如此整齐划一，太初以后的记事还是有的。班固认为“讫于天汉”，见《史记集解序》、《汉兴以来将相名臣年表集解》。近代王国维则谓“《史记》中最晚之记事得信为出自公手者唯《匈奴列传》之李广利降匈奴事（征和三年），余皆出后人续补也”（《观堂集林》卷十一《太史公行年考》）。由于司马迁的卒年不详，《史记》记事的最晚年限实在无法确定。《史记》记事有后人续补的诚然是事实；但太初以后下至天汉、征和年间的事，司马迁是有可能记的。因为司马迁至少活到征和年间，是可以相信的。至于说《史记》记事首尾包含三千年，乃是取晋人张辅旧谈（见《晋书·张辅传》），并非确数。

这五种不同体例，并通过它们之间的互相配合和补充而组成它的完整系统的。它就像一座伟大的建筑，由各个不同的部分组成一个不可分离的整体。它是科学和艺术的制成品。

《史记》这部伟大著作，是否是司马迁的独创呢？我们的答案是肯定的。虽然《史记》的《大宛列传》赞引《禹本纪》、《三代世表叙》有“余读《谍记》”、《十二诸侯年表叙》有“太史公读《春秋历谱谍》”、《卫康叔世家》赞有“余读《世家》言”、《伯夷列传》又有“其传曰”云云，虽然《世本》一书，其中也有记、世家、传和谱，虽然古代典籍中早有所谓《尚书》，但是所有这些事实，只能说明《史记》的五种体例是有渊源的[①]，并不足以减损《史记》这种完整系统的独创性。《史记》是一种历史著作，它不能凭空地创造起来，必须利用已有的资料，因此采用某些现成的体例，也是很自然的。司马迁的独创性在于他能够“网罗天下放失（佚）旧闻”，把三千年的历史，作一次通盘的清理，并使之纳入于一个庞大而完整的系统。这是大家共见的事实，不容否认的。

① 可参见近人程金造《史记体例溯源》一文，载《燕京学报》第三十七

基本方法和基本态度

那么，司马迁是怎样创作《史记》的呢？首先，他掌握了极端丰富的资料，这是最基本的一点。过去有人认为："当迁之时，挟书之律初除，得书之路未广，亘三千年之史籍，而跼蹐于七八种书，所可为迁恨者，博不足也。"①这是不符事实的。司马迁依据的资料，大致可分为两部分。一部分是封建王朝的藏书，即所谓"金匮石室之书"。这种藏书到汉武帝时代已经很丰富，而同搜罗保存这种藏书最有关系的两个人，就是司马谈、迁父子。所谓"百年之间，天下遗文古事，靡不毕集太史公。太史公仍父子相续纂其职"。这一部分资料，在司马迁当时看来，数量可观，内容亦极复杂。他用"六经异传"和"百家杂语"两个简单的概念来加以概括。我们今天虽然不可能知道司马迁所依据的这一部分资料的全部的数量和内容，但单从《史记》一书里司马迁自己所提到的来看，就可以知道它们的庞杂情况了。另一部分不是那种藏在"金

① 郑樵《通志叙》。

匮石室”里的死资料，而是流传在广大地区、广大阶层的人们的口头上的活资料。这是那些讥笑司马迁“踢踏于七八种书”的人们所绝对估计不到的。这一部分资料，有的是司马迁实地调查和亲身见闻的收获，有的是别人把他的亲身见闻告诉司马迁的。这些资料是真正原始的不可替代的珍贵的资料。司马迁所以成为伟大的历史家和文学家，同这一部分活的资料的掌握与运用有极大的关系。顾炎武说：“秦楚之际，兵所出入之涂，曲折变化，唯太史公序之如指掌。以山川郡国不易明，故曰东、曰西、曰南、曰北，一言之下，而形势了然。……盖自古史书兵事地形之详，未有过此者。太史公胸中固有一天下大势，非后代书生之所能几也。”[①] 这是很对的。司马迁所以能够叙述秦楚之际的战争了如指掌，胸中有一天下大势，正是因为他掌握了这一部分活的资料。顾炎武指出的不过是秦楚之际的战争，其实秦楚之际以及汉以来近百年的社会历史的记录，司马迁所依据的主要也是这一部分活的资料。这是《史记》所以能放异彩一个最基本的条件。

司马迁不仅能够掌握丰富的资料，而且也能够正确地处理那些资料。处理资料，不只是一个技术问题，还是一个原则

① 顾炎武《日知录》卷二十六“史记通鉴兵事”条（黄汝成集释本）。

问题。司马迁在《伯夷列传》的序论里说：“夫学者载籍极博，犹考信于六艺。诗书虽缺，然虞夏之文可知也。”“考信”是司马迁处理历史资料的原则，而“六艺”（即六经）则是他的标准。历史著作既然必须依据确实可信的资料，而无论古代和近代的资料又都有可信不可信的问题。显而易见，处理历史资料的这个“考信”的原则，对于一切历史著作来说是必须的，是一个不可动摇的科学原则。问题在于“考信”的标准。司马迁提出“考信于六艺”，这是否也是恰当的呢？从我们今天看来，“六艺”有真伪、时代、作者等纠缠不清的问题，如果不加鉴别地把它们作为信史的标准，诚然是不恰当的，有问题的。但在当时，司马迁以“六艺”为“考信”的标准，还是很有理由的。“六艺”之所以尊贵，不仅因为它是经过孔子传下来的儒家的经典，而且就其本身来看，也确乎是比较系统的可信的古史资料。司马迁以许由不见于“六艺”和儒家的记载，因而不为许由作传；又以“言九州山川，《尚书》近之矣”，因而不相信《禹本纪》和《山海经》。即在今天看来，这些问题的处理也还是很恰当的。因为许由究竟是历史人物还是隐士们托古捏造的一个人物，《山海经》所言九州山川到底符合怎样的实际地理情况，直到今天，还是不容易搞清楚的。然而更可贵的是，司马迁虽然提出以“六艺”为代表的儒家经典作为考信的标准，可是他并不是腐儒式地拘守着这一标准。他的最后的依据，还是相信他所获得的那些活的资料。在《五帝本纪》的论赞里，司马迁说明他对于黄帝的历史资料的处理，就是一个很好的例子。他以为“百家[①]言黄帝，其文不雅驯，荐绅先生难言之”。可是他也以为“孔子所传《宰予问》、《五帝德》及《帝系姓》[②]，儒者或不传”。这就是说，司马迁对于“百家”所传的黄帝固然不敢相信，即使称为孔子所传的黄帝的某些资料，也不是一般地加以采用，而是有所鉴别的。他根据他自己“西至空桐，北过涿鹿，东渐于海，南浮江淮”的实地见闻，以为“长老皆各往往称黄帝、尧、舜之处”，民间确有关于黄帝的传说，因而相信黄帝的存在，并结合古书上某些可信的记载，“著为本纪书首”。由此可见，司马迁确以他自己所获得的活资料作为最后考信的标准。同样地，在《刺客列传》、《大宛列传》等的论赞里，也可以见到司马迁在资料的考信问题上对于别人的见闻亦即活的资料的尊重。这种考信原则的坚持和运用，使他排除

① 《汉书·艺文志》“小说家”著录《百家》百三十九卷，司马迁这里所谓“百家”，可能即指此类小说家言。

② 今本《大戴礼记》有《五帝德》、《帝系》二篇，有《子张问》，无《宰予问》。

了异语杂说，而这正是科学的历史著作必不可少的一个基本原则。《史记》的科学性首先就是在这个原则上奠定基础的。不过我们不能由此得出结论，说《史记》里的一切记载都是信实的历史。因为限于当时可能掌握的历史资料和一般文化科学水平，或者因为如扬雄所云司马迁“爱奇”①，《史记》里非信史的记载，还是很多的。司马迁在《苏秦列传》里说：“……然世言苏秦多异，异时事有类之者皆附之苏秦。……吾故列其行事，次其时序，毋令独蒙恶声焉。”可见他写《苏秦列传》，对苏秦的各种传说，确实怀着好意，尽了一番考信的工夫。可是一九七三年底长沙马王堆三号汉墓中发现了司马迁未见过的关于苏秦真实可信的资料，证明他写的《苏秦列传》是有很多问题的。②在《赵世家》里，他不惮其烦地叙述那些不可信的荒诞怪异的故事。

司马迁不仅审慎地鉴别史料，而且他也严肃地忠实于那些信实的史料，即客观存在的历史事实。刘向、扬雄、班固等人曾经一致承认司马迁著作《史记》的最大特点是“实录”③，实录的意思，按照班固的解释是“不虚美，不隐恶”，即如实

① 《法言·君子篇》。
② 参见《战国纵横家书》，文物出版社，一九七六年十二月版。
③ 参见《法言·重黎篇》、《汉书》卷六十二《司马迁传》。

著录。这是对待历史的态度问题，对于一个严肃的、科学的历史家也是完全必要的。因为历史著作既以历史事实为依据，而不歪曲、不夸张地按照历史事实的固有情况著录，使那些历史事实固定下来，这才有可能成为信史。这个道理好像很平常，但在封建专制时代，坚持这种道理却是很不容易的。司马迁在《匈奴列传》的论赞里说："孔氏著《春秋》，隐、桓之间则章，至定、哀之际则微，为其切当世之文而罔褒，忌讳之辞也。"显而易见，实录虽然不过是摘录现成的资料，但对待古代历史由于关系较远，可以无所忌讳；至于对待当世的历史就不能不有所忌讳。这也是不难理解的。坚持实录的态度，就是忠实于一切事实，忠实于客观存在，那结果就会不管封建统治阶级的愿望以及作者的历史观如何，必然反映了客观实际的错综复杂的情况，因而不可避免地反映了客观实际的矛盾和斗争，即客观实际的真实的历史。这就是说，在那些实录里面，必然存在着彼此相反的东西，对封建统治者来说，有有利的东西，也有不利的东西。这种对封建统治者不利的东西当然为封建统治者所不能忍受，当然要有所忌讳。古代史官秉笔直书因而惨遭杀戮的历史教训①，司马迁是熟悉的。但

①《左传》襄公二十五年。

是司马迁始终坚持了实录的态度。譬如他对于汉高帝刘邦，固然写了许多神奇体面的事情，可是也写了许多庸俗丑恶的事情。所有这些事情，绝对不是司马迁捏造出来的，而是当时的事实或传说。他忠实地记录了这些事情，结果就使这位篡夺秦末农民起义果实的无赖的本相完全毕露。这不但和汉代统治者的愿望相反，而且也和作者把刘邦歌颂为“受命而帝”的“大圣”矛盾。又如一九六八年我国考古工作者，对河北满城汉景帝儿子、中山靖王刘胜及其妻窦绾两座墓葬的发掘和研究，有力地证明了司马迁在《五宗世家》里对刘胜骄奢淫佚的揭露确是实录。这种例子很多。由此我们可以知道，司马迁所以一方面被人们誉为“有良史之才”，一方面又被另一些人毁为“作谤书”[①]的原因，也就在于他的叙事是“不虚美，不隐恶”的“实录”。他的残酷的遭遇的根源，也许就在于此。[②]这种实录的真正价值在于它不为封建统治者的偏见所囿，反映了客观实际的复杂情况，因而反映了真实的历史。这种实录的精神，就是司马迁的现实主义的基本出发点。《史记》所以成为杰出的历史和文学结合的范例，其根本原因之一在此。

---

①《三国志》卷六《魏志·董卓传》注。

② 东汉、魏、晋人有此看法，参见《史记·太史公自序》，《集解》引卫宏著《汉旧仪注》、《三国志》卷十三《魏志·王肃传》。

司马迁的这种尊重客观事实（古代的和当世的）的精神，是和他著作《史记》的理想有密切联系的。司马迁著作《史记》的最高理想，是要使他自己成为第二个孔子，使《史记》成为第二部《春秋》。《春秋》这部书，在我们现在看来，不过是片断的、类似新闻标题的从公元前七二二年到前四八一年的列国大事记。但在司马迁当时，以董仲舒为代表的公羊派春秋家的看法，却不是这样简单的。他们以为《春秋》是无所不包的，所谓“万物之聚散，皆在《春秋》”[①]。《春秋》的一字一句都有它的道理，所谓“文成数万，其指数千”[②]。孔子由于时运不好，不遇明君，晚年乃“因史记作《春秋》，以当王法”[③]。这部王法：“记天下之得失，而见所以然之故，甚幽而明，无传而著，不可不察也。”[④]它“上明三王之道，下辨人事之纪，别嫌疑，明是非，定犹豫，善善恶恶，贤贤贱不肖，存亡国，继绝世，补敝起废：王道之大者也”[⑤]。它不是没有根据的，而是“奉天而

① 《史记》卷一百三十《太史公自序》。
② 同上。
③ 《史记》卷一百二十一《儒林列传序论》。
④ 《春秋繁露》卷二《竹林篇》。
⑤ 《史记》卷一百三十《太史公自序》。

法古”[①]的。在公羊派春秋家看来，《春秋》这部书实在包含着封建统治者所需要的一切，所谓“天道”、“王道”、“人道”等等，无不应有尽有，万分完备。在汉代，《春秋》之义不止是封建学者理论上的空谈，而是封建王朝的法律理论上的根据，用《春秋》之义可以断狱，那实在是一件容易理解的事。但是人们不免要问：孔子的全部大道理为什么当时不讲出来，而只是“因史记作《春秋》”呢？他们以为孔子说过：“我欲载之空言，不如见之于行事之深切著明也。”[②]孔子的意思是说，我与其抽象地说道理，还不如通过具体的事实来表明道理比较切近明白。公羊派春秋家对《春秋》一般的看法，也就是司马迁对《春秋》的看法。因此，不难设想，司马迁继《春秋》而作《史记》，也是要通过具体的客观历史事实来表明封建社会的全部的思想体系的，包括天道观、历史观、道德观等。《史记》以叙事为主，各篇除极个别的外，都是叙事多而议论少，极端尊重历史事实，这显然是司马迁的这种著作理想的自然的结果。由此我们也就可以进一步知道，司马迁的实录并不是完全被动地直录一切事实，而是

① 《春秋繁露》卷一《楚庄王篇》。

② 《史记》卷一百三十《太史公自序》。

有所选择地寓其理想于那些实录之间的。出乎司马迁意料之外的是，他考察了无数的历史事实反而发现封建社会的道理很难通了。

> 或曰：“天道无亲，常与善人。”若伯夷、叔齐，可谓善人者非邪？积仁洁行如此而饿死。且七十子之徒，仲尼独荐颜渊为好学。然回也屡空，糟糠不厌，而卒蚤夭。天之报施善人，其何如哉？盗跖日杀不辜，肝人之肉，暴戾恣睢，聚党数千人，横行天下，竟以寿终，是遵何德哉？——此其尤大彰明较著者也。若至近世，操行不轨，专犯忌讳，而终身逸乐富厚，累世不绝。或择地而蹈之，时然后出言，行不由径，非公正不发愤，而遇祸灾者，不可胜数也！余甚惑焉！傥所谓天道，是邪非邪？

这是司马迁在《伯夷列传》里提出的问题。历史的事实是善人恶报，恶人善报；现实也是不轨犯法之徒享受安乐富贵，而纯洁公正的人遭到祸害。一切善恶、是非、祸福、穷达的道理到底怎样讲？作为“王道”的根据，所谓“天道”到底怎样讲？他感到迷惑不解。这是实录的结果，历史的客观事实使封建社会的所谓“天道”、“王道”以及是非、善恶等等观念破产。然而同样地从无数的历史事实当中，这些问题，司马迁是得到了解决的（参看本书《褒贬尺度的人民性》一节）。但由于具体历史时代的限制，这些问题，司马迁不可能彻底解决（参看本书《人民性的来源及其局限》一节）。

司马迁掌握了大量的资料，并审慎地处理那些资料；忠实于客观的历史事实，并希望通过那些事实表明他对社会现实的种种理想：这些就是司马迁创造《史记》这一伟大著作的基本方法和基本态度。下面谈谈他写了什么和怎样写。

人物中心

前面我们已经提过，《史记》是以“十二本纪”、“十表”、“八书”、“三十世家”、“七十列传”组织而成的。“八书”以叙事为主，是个别事件的始末文献，是全书叙事的单一集中的补充。它们叙述的是礼仪（《礼书》）、音乐（《乐书》）、军事（《律书》）、历法（《历书》）、星象（《天官书》）、宗教（《封禅书》）、水利（《河渠书》）、经济（《平准书》）等方面的事。“十表”是依朝代的顺序并把它们分为几个阶段而建立起来的，它们互相独立而又互相联系。以简单的记事为主，是历代的大事记，是全书叙事的联络和补充。从一种历史著作来说，这“八书”、“十表”应是重要的成分。因为它们或者独立地叙述某些自然现象（即所谓天道）、文化现象、政治经济现象（即所谓人道）的始终变化，或者显示某一时期的历史现象（如《十二诸侯年表》、《六国年表》等）的始终变化，它们是具有一定的科学性的。但在《史记》中，它们却处于次要的地位。至少在数量上就表明了这一点。《史记》的主要部分是“十二本纪”、“三十世家”和“七十列传”。这是全书的中心。“十二本纪”除《秦本纪》、《项羽本纪》外，叙述帝王政绩，是叙述自黄帝以来直到汉武帝为止的历朝、历代作为一个统一的最高统治者的政绩的。“三十世家”除《孔子世家》、《陈涉世家》外，叙述秦以前割据称雄的大小侯王和汉代侯王的历史。“七十列传”除《匈奴列传》、《大宛列传》、《西南夷列传》、《南越列传》、《东越列传》、《朝鲜列传》外，叙述贵族公子、各种大小官僚、政治家、军事家、思想家、文学家、经学教授、策士、隐士、说客、刺客、游侠、土豪、医生、卜者、商人、俳优等不同社会阶层、不同类型人物活动的历史。上述除外的那些篇，只是由于情况的特殊而引起体例上的一些变异，它们叙述的有的是割据的世袭侯王的历史（《秦本纪》），有的是起义英雄的历史（《项羽本纪》、《陈涉世家》），有的实际上也还是思想家或教育家的活动的历史（《孔子世家》），有的是秦汉以来东南沿海新的割据侯王的历史（《南越列传》、《东越列传》），有的是国内少数族和国外各族君长统治的历史（《匈奴列传》、《大宛列传》、《西南夷列传》、《朝鲜列传》）。由此可见，《史记》的中心部分所叙述的，是从古到汉的各个社会阶层、各种不同地位、不同职业的人物活动的历史，是历朝历代一系列的历史人物的塑像。

这种以人物为中心来反映历史内容的新的史书体裁——纪传体，是司马迁对历史学创造性的发展，但这也有其历史和现实的根源的。春秋、战国以来，社会急遽变化，阶级斗争复杂激烈。为了维护各自的利益，不同的阶级、阶层特别是他们中间的“士”，在社会上极为活跃。一时诸子蜂起，议论纷纭，在政治上和思想上展开斗争，个人的作用显得突出起来了。这给司马迁以人物活动来反映历史，提供了历史的前提。而《左传》、《国语》和《战国策》等历史著作中，也往往具体生动地描写了春秋、战国时代人物活动的片断形象，这些对司马迁写历史人物传记，无疑也有所启发。特别重要的是，经过秦末农民大起义而建立起来的汉王朝已经统治了一百年，产生了一代新的历史人物，更有及时记述的必要。司马谈在他的遗言中就说过："今汉兴，海内一统，明主贤君忠臣死义之士，余为太史而弗论载，废天下之史文，余甚惧焉！汝其念哉！"司马迁就是继承了父亲的这一遗志，而承担起著述《史记》的艰巨使命的 。

这种新的体例具体地反映了司马迁的历史观。首先从主观上看，这是和司马迁的著作理想分不开的，也可以说，这是司马迁的著作理想的具体表现。我们研究《史记》，不能忘记一个事实：司马迁著作的不是近代资产阶级的所谓"客观"的"为历史而历史"的历史著作，也不是近代无产阶级的科学的历史著作，而是"成一家之言"的《太史公书》。如我们上文所说，他企图通过具体的历史事实，来表明封建社会的政治、道德等等理想，因而构成封建社会的一部政治道德全书。这里姑且不论司马迁的历史观究竟怎样，各色各样的人物不但是社会历史事实的客观存在，而且也是一切社会历史事实的发生与发展的重要因素。因此，司马迁以人物为中心来创造他的伟大著作，不但是完全忠实于他的伟大理想，而且在一定程度上也是符合于历史的客观性的。

其次从客观效果上看，我们可分两层意思来说。第一，从纵的方面看，这种从古到汉的历代统治人物不断更替的历史，“原始察终，见盛观衰”[①]，具体地说明了历史不是永久不变，而是不断地变化和发展的。司马迁认为秦应“世异变，成功大”；指出“学者牵于所闻，见秦在帝位日浅，不察其终始，因举而笑之，不敢道”[②]是不对的。特别值得注意的，司马迁承认陈涉几个月的政权，以为“天下之端，自涉发难”[③]；不承认楚怀王而承认项羽的政权，以为“分裂天下而封王侯，政由羽出”[④]；不承认汉惠帝而承认吕后的政权，以为“惠帝垂拱，高后女主称制，政不出房户”[⑤]：显然这是从客观实际出发，承认历史的客观实际的变化和发展的，实在打破了他所谓“三王之道若循环，终而复始”[⑥]这一简单机械的历史循环论的公式。第二，从横的方面看，这种极其广泛的、包含各个社会阶层、各种不同社会地位和职业的人物活动的历史，具体地充实了我国三千年历史的丰富内容，生动地展开了我国三千年历史的广阔画面；同时也说明了司马迁对一

---

①《史记》卷一百三十《太史公自序》。

②《史记》卷十五《六国表序》。钱大昕谓“史公著述，意主尊汉，近黜暴秦，远承三代”（《史记志疑序》），显然不合史公之意。

③《史记》卷一百三十《太史公自序》。

④《史记》卷七《项羽本纪》。

⑤《史记》卷九《吕后本纪》。

⑥《史记》卷八《高祖本纪》。

定社会和历史的看法：社会不止是帝王将相等统治人物高高在上的单独的存在，而是有各种人物存在的人群的整体；历史也不止是帝王将相等统治人物的历史，而是包含各个阶层的全民的历史。而且还可注意的是，司马迁也写了外国君长统治的历史，这也说明了历史不止是中华民族单独存在，而是中外民族共同存在的历史。这一整体的、全民的社会历史的观念，是秦汉以来大一统的局面在文化上的反映。司马迁的伟大创造正是给他的时代以最充分的表现。

褒贬尺度的人民性

司马迁不仅写了大量的、各色各样的历史人物，而且更为要紧的是，他也表明了对那些人物的态度。这就是说，司马迁对他所写的一切历史人物，不是平列的、漠不关心的，而是有所褒贬、爱憎的。这是他著作《史记》的目的，在《太史公自序》以及那些人物传记的论赞里，都有或显或隐的说明。而最具体的说明还是那些人物传记的本身。这是人所共知、不成问题的。

问题在于：司马迁用什么尺度来褒贬他所写的各种人物呢？这里，我们举《游侠列传》来谈一下，因为这篇列传比较全面地体现了司马迁对各种人物的看法。

《游侠列传》是一篇下层人物的传记。司马迁为什么给游侠这类人物作传记，在《太史公自序》和《游侠列传》的序论里是有肯定的回答的。司马迁以为那些“以术取宰相、卿大夫，辅翼其世主，功名俱著于春秋，固无可言者”。这就是说，那些以“术”而上进的宰相、卿大夫们，辅佐帝王，功成名遂，载在国史，大家都知道，这是当然的，不必说的。相反，像季次、原宪一班隐士们，“怀独行君子之德，义不苟合当世”，所以季次、原宪终身穷困，但他们自得其乐，虽不名著国史，而死了四百多年，多少后辈，还是称道不倦，季次、原宪也就成了名。显而易见，司马迁对于这两种人，都流露着讥刺不满之意。而对于“儒、墨皆排摈不载”的游侠却抱有特殊的见解。他以为游侠这一类的人物，既和贵族公子们如孟尝君、春申君、平原君、信陵君等等，“皆因王者亲属，藉于有土卿相之富厚，招天下贤者”，这种慷慨好义不同，更和那些“朋党宗强、比周设财役贫，豪暴侵凌孤弱，恣欲自快”的土豪恶霸们欺压人民有天壤的区别。他以为游侠是这样一种人：“其行虽不轨于正义，然其言必信，其行必果，已诺必诚，不爱其躯，赴士之阸困。既以存亡死生矣，而不矜其能，羞伐其德。”这就是说，游侠这一类人的行为，虽不合乎封建统治阶级所谓的“正义”，但实际上他们是很讲仁义，很有道德的。司马迁以为所谓仁义道德，本来是很难说的，历史上多少“所谓有道仁人”，还不是遭到祸害！历史上也有这样的事实：“伯夷丑周，饿死首阳山，而文、武不以其故贬王；跖、跻暴戾，其徒诵义无穷。”而且更有甚者：“窃钩者诛，窃国者侯，侯之门，仁义存。”由此可见：游侠这一类人，“设取予然诺，千里诵义，为死不顾世，此亦有所长，非苟而已也”。他进一步地说：“诚使乡曲之侠，与季次、原宪比权量力，效功当世，不同日而论矣！”[①]这就是司马迁对游侠的看法和所以要为游侠作传的原因。这种看法，不论司马迁的自觉意识如何，实际上包含着阶级对立的看法：他怀疑封建统治阶级所谓的圣贤和仁义道德。而从实际出发，“已飨其利者为有德”，肯定了另一类人（游侠）的救人之急、牺牲自己的真正道德。

司马迁肯定的游侠这一类人，究竟是否应该肯定呢？这是我们必须解决的问题。韩非说：“儒以文乱法，而侠以武犯禁。”[②]至少在韩非的时代即战国晚期，游侠这类人物已经大

---

①《史记》卷一百二十四《游侠列传》序论。

②《韩非子》卷十九《五蠹》篇。

量存在。他们可能就是“墨者”的末流。[①]这是从封建社会的下层排挤出来的一个游民阶层。他们脱离劳动，不事生产，专门从事“犯法”的活动。他们重“义气”，可以为一个“知己”而死，也可以为公众“打不平”。大概战国时代，游侠这类人多为诸侯国统治者所利用，所谓“犯法者诛，而群侠以私剑养”[②]。这时兼并剧烈，斗争残酷，各国的统治者争取人才，而游侠就往往成为统治者的牺牲工具。但游侠无恒产，不怕死，容易被利用，这只是一方面。另一方面他们由于穷困流浪，受压迫，有正义感，有爱国心，也就往往激于义愤，为正义、为爱国而牺牲：因此，他们的慷慨就义，却是可歌可泣、为广大人民所赞叹和同情的。《史记》的《刺客列传》写的主要就是战国时代的游侠。“汉兴，海内一统”，游侠既失去为统治者争取利用的可能，他们的“犯法”行为又为专制主义的封建统治所不容，他们不是被统治者所收买，就是被统治者所杀害。在封建社会里，人民受压迫、受冤屈是无穷无尽的。人民经常希望得到“循吏”和“王法”的解救，然而这种希望经常是归于幻灭。因此，广大的受压迫、受冤屈的

① 参见鲁迅《三闲集·流氓的变迁》。

② 《韩非子》卷十九《五蠹》篇。

人民，在无处申诉的苦境之中，自然地就寄希望于代表正义的“乡曲之侠”。《游侠列传》里所写的朱家、郭解等著名的游侠，得到广大人民的爱护，正说明了人民的愿望，人民爱护游侠，把他们视为一种反抗强暴的人物。由此可见，司马迁大胆地歌颂游侠，是与广大人民有联系的，他实际上是歌颂了广大人民反抗强暴的愿望的。因此，我们觉得，司马迁肯定的游侠这类人物是应该肯定的。

通过对《游侠列传》的分析，我们就可以比较具体地认识到司马迁褒贬人物的尺度。他并没有受统治阶级的传统的道德标准束缚，而直接从被压迫人民的利益与愿望来看道德问题。这就是正统史家所以攻“其是非颇谬于圣人”的缘故。[①]司马迁在《伯夷列传》里所提出的封建社会的是非、善恶的问题，显然是在《游侠列传》里得到了解决的。

司马迁在《游侠列传》里流露的思想是突出的，但并不是孤立的。司马迁这种同情被压迫人民、反抗强暴统治的思想，还表现在对其他许多人物的态度上。在《刺客列传》里，他写了曹沫劫齐桓公、专诸刺吴王僚、豫让刺赵襄子、聂政刺韩相侠累、荆轲刺秦王政，赞叹地说：“自曹沫

---

①《汉书》卷六十二《司马迁传》。

至荆轲五人，此其义或成或不成，然其立意较然，不欺其志，名垂后世，岂妄也哉！”[①] 这里，司马迁所以赞叹这些刺客的“义”，固然在于这些人真正说话算话，“已诺必诚”[②]，能为“知己”而死；更重要的还在于他们能以一个“匹夫”，敢于和那些强暴的统治者的代表进行誓死的反抗。在《赵世家》里，他写了有名的“赵氏孤儿”的故事。这个故事也许不是春秋时代的历史事实，而是战国时代的民间传说。它在司马迁笔下的主要意义，同样地在于程婴和公孙杵臼的誓死精神对屠岸贾的强暴势力的最后战胜。家喻户晓的蔺相如完璧归赵的故事，司马迁的看法是：“方蔺相如引璧睨柱，及叱秦王左右，势不过诛。然士或怯懦而不敢发。相如一奋其气，威信敌国。”[③] 很明显，司马迁赞叹的蔺相如是一个不怕死、敢于奋气而起、威胁强暴的壮士！比较一下《鲁仲连传》和《田横传》的论赞，更可以看出司马迁对反抗强暴的人物，抱有何等的敬意。他论鲁仲连说：“鲁连其指意虽不合大义，然余多其在布衣之位，荡然肆志，不诎（屈）于诸侯，谈说于

---

① 《史记》卷八十六《刺客列传》。

② 《史记》卷一百二十四《游侠列传》。

③ 《史记》卷八十一《廉颇蔺相如列传》。

当世，折卿相之权。”[①] 而对田横则说：“田横之高节，宾客慕义而从横死，岂非至贤！余因而列焉。无不善画者，莫能图，何哉？”[②] 鲁仲连抗秦，田横抗汉，事属相类，可谓无独有偶。但司马迁对鲁仲连则谓其“不合大义”，而对田横则极力称赞，谓之“高节”，谓之“至贤”。如果我们读一下他们的传记，就会知道司马迁对鲁仲连和田横的评论是很有分寸的。鲁仲连的抗秦只是说客一流的空谈，最后他“逃隐于海上”，做一个自甘贫贱、不屈于富贵的高士。相反，田横抗汉，是真正反抗到底的，他最后宁肯自杀，也不肯去见汉高帝刘邦一面。司马迁所以说鲁仲连“不合大义”，正是因为鲁仲连不能奋不顾身以死抗秦。但是，司马迁对鲁仲连还是很称赞的，因为他对当时的统治者到底也表现了不屈的、轻蔑的态度。有名的战国四公子之一的信陵君，司马迁是给以极高的估价和荣誉的。他在《魏公子列传》这篇名文里，奇特地用了一百四十七个“公子”，津津有味地叙述信陵君的故事。不难理解，司马迁所以特别歌颂信陵君，不仅因为这位公子真能放下贵族的架子，“自迎夷门侯生”和“从博徒卖

① 《史记》卷八十三《鲁仲连邹阳列传》。
② 《史记》卷九十四《田儋列传》。

浆者游”[①]，而且更重要的，是因为信陵君能够这样做，终于得到游士、门客的帮助，救赵存魏，抵抗暴秦，振奋诸侯。从上述这些例子看来，“刺客”是“游侠”一类人物。其他如公孙杵臼、蔺相如、信陵君等人物的故事，可以说都是战国时代在不同情况下侠义精神的表现；也可以说，这些人物的生动故事，都是与侠义精神相通的。这种侠义精神，强调救人之急，同情弱者，不怕牺牲，反抗强暴。这是广大人民在封建压迫下一种支持的力量和希望。这些英雄人物的故事，所以具有极大的感动力量，世世代代为人民传诵不绝，正是因为它们鼓舞了在长期的封建压迫下无数冤屈无告的人民的斗争情绪。一般说来，司马迁总是热情地叙述和赞颂这些侠义人物和侠义精神，他的衡量人物的尺度不是从传统的封建道德出发的，而是从广大的被压迫人民的愿望出发的。

司马迁同情被压迫人民、反抗强暴的思想，不仅表现在对许多人物的歌颂上，还直接表现在他对汉武帝刘彻的专制主义的暴力统治所流露出的极端悲愤和厌恶的情绪上。在汉武帝统治的几十年间，由于巡狩、封禅、求神仙和奢侈浪费，由于北击匈奴和不断地对外用兵，需要大量的人力、物力，因而汉武

---

①《史记》卷七十七《魏公子列传》。

帝不断地加强对人民的压迫和剥削，对人民实行极端严厉的法令统治。他表面上好像很讲“仁义”，实际上却是严刻寡恩的。“天子方招文学儒者，上曰‘吾欲’云云，（汲）黯对曰：‘陛下内多欲，而外施仁义，奈何欲效唐虞之治乎！’上默然，怒变色而罢朝。”[①]憨直的汲黯曾经当面揭穿过汉武帝那种表面上假施仁义的一套。汉武帝最喜欢的是公孙弘这样的人：“习文法吏事，而又缘饰以儒术。”[②]公孙弘是由狱吏出身的一个儒生，他外表讲儒术，而实际上却很懂得汉武帝那一套统治人民的法令制度。游侠郭解和游士主父偃都是他坚决主张杀掉的。司马迁对这样的现实，虽然不敢明显地反对，可是他在《循吏列传》里说：“奉职循理，亦可以为治，何必威严哉？”他写了历史上孙叔敖、郑子产等对人民不加威严的“循吏”五人，而汉代的却一个也没有写。相反，他写了一篇《酷吏列传》，却统统是写汉代的人物。在这篇传记里，司马迁主要写了十人，其中除绰号“苍鹰”的郅都为汉景帝刘启时人外，其余都是汉武帝时代执行暴力统治的人物。张汤是汉武帝最为满意的一个。他和赵禹共同定了种种法令，有所谓“见知

① 《史记》卷一百二十《汲郑列传》。

② 《史记》卷一百十二《平津侯主父列传》。

故纵、监临部主之法”[①]，加强官吏对人民的监视，以及官吏上下之间的互相监视。张汤还因大农令颜异对新造白鹿皮币有意见不敢直说而“微反唇”，以为“不入言而腹诽”，处死颜异，从此有所谓“腹诽之法”[②]。张汤不仅善于巧立法令名目，而且也善于揣摩汉武帝的意旨。这时汉武帝提倡“文学”（即经学），张汤就想附会“古义”以断狱，“乃请博士弟子治《尚书》、《春秋》，补廷尉史”，以便解决法令的疑难。而实际上他决疑的根据还是汉武帝的意旨。只要汉武帝认为对的，他就著为定谳，以为廷尉判决的法令。因此无论有罪无罪，他都揣摩了汉武帝的心思才作决定。这样，张汤就取得了汉武帝的尊宠。“汤每朝奏事，语国家用，日晏，天子忘食。丞相取充位，天下事皆决于汤。”于是“百姓不安其生，骚动”了。后来张汤也因“怀诈面欺”，触怒了汉武帝，自杀。司马迁简单地说：“张汤死，而民不思！”[③]这是有力的、愤怒的、人民的语言。曾经做过张汤的廷尉史的王温舒，也是一个镇压人民的刽子手。他为御史和广平（今河北鸡泽县东南）都尉时，就杀过很多“盗贼”，后来为河内（郡

① 《汉书》卷二十三《刑法志》。
② 《史记》卷三十《平准书》。
③ 同上。

名，治所怀县，今河南武陟县西南）太守，捕郡中“豪猾”，连坐千余家，大肆屠杀，至流血十余里。汉王朝惯例，春天不杀人，温舒顿足说：“嗟乎！令冬月益展一月，足吾事矣！”司马迁愤怒地说：“其好杀伐行威、不爱人如此！”但汉武帝当时听到这个消息，却以为温舒很能干，调升为掌京师治安的中尉。王温舒是一个卑鄙的小人，对“有势者”很会奉承，虽犯法如山，也不去触犯；相反，对“无势者”他就视为奴隶。他想尽一切“理由”，专门打击“下户之猾”，以儆“大豪”。他手下的“爪牙吏”，都是一班戴帽子的老虎。所谓“奸猾”被拷问后，“大抵尽靡烂狱中”，论罪时已经没有活的了。于是“中猾以下皆伏，有势者为游声誉，称治”。这就是王温舒为中尉的治绩！后来汉武帝征发“豪吏”当兵，王温舒因为隐藏他的爪牙华成和受骑兵人员的贿赂被告发，罪该灭族，结果自杀。同时他的两个弟弟和他们的妻家也各自犯罪而被灭族。司马迁在这里引用了光禄徐自为的话：“悲夫！夫古有三族，而王温舒罪至同时而五族乎！”这句话显然包含着无穷的愤慨，它固然表明王温舒罪有应得，而同时对武帝时的残酷刑法也流露着极为悲愤的情绪。另外有一个杜周，曾经做过张汤的廷尉史，后来他做了廷尉，完全模仿张汤，善于审察汉武帝的意图：“上所欲挤者，因而陷之；上所欲释者，久系待问，而微见其冤状。”这就是说，有罪无罪，完全看汉武帝的颜色来决定。当时有人责备杜周说：“君为天下决平，不循三尺法，专以人主意指（旨）为狱，狱者固如是乎？”杜周老实地说：“三尺安出哉？前主所是，著为律；后主所是，疏为令。当时为是，何古之法乎？”这就是说，专制主义者并没有什么一定的法律，要怎么办就怎么办。杜周断狱很繁忙，案件每年在千件以上。大的牵连数百人，小的也有数十人。到朝廷来对案的远则数千里，近的也有数百里。他审判起来其实很简单，一律按状子上所控告的罪名定罪。这样，被告闻有逮捕的消息，往往就逃亡了，以致十多年成为悬案。这种案子大都被诬为“不道（罪名）以上”。有时廷尉和京师官府命捕六七万人，而胥吏能捕到十余万人。这样，杜周也就成为汉武帝重用的人，后由执金吾升官至御史大夫。司马迁的结语说：“其治暴酷，皆甚于王温舒等矣！”以上我们根据《酷吏列传》，择要地叙述了张汤、王温舒、杜周三人的“治绩”，可以看见汉武帝专制主义的统治的残酷和黑暗的一斑；同时也可以看见，司马迁对汉武帝这样的统治流露着无可奈何的悲愤和厌恶的情绪。要知道，《酷吏列传》所反映的是汉武帝时代的现实政治，这种现实政治是“王法”破产的铁证，是人民所以同情“游侠”的原因，也是司马迁所以歌颂“游侠”的原因。人民和司马迁在这样的政治现实下密切地联系起来了。

在这样的现实政治的压迫下，人民是要起来反抗的。据《酷吏列传》记载，自从王温舒极端酷烈地镇压人民以后，一般“郡守、都尉、诸侯二千石，欲为治者，其治大抵尽放（仿）温舒”，以致人民无法求生，越发不怕“犯法”，四处起来反抗：“南阳有梅免、白政，楚有殷中、杜少，齐有徐勃，燕赵之间有坚卢、范生之属，大群至数千人。”他们立名号，“攻城邑，取库兵，释死罪，缚辱郡太守、都尉，杀二千石，为檄告县趣具食”。显而易见，这是人民的，主要是农民的起义斗争，时在公元前九九年（天汉二年），即汉武帝命令李广利和李陵出征匈奴的一年，这同当时对外用兵频繁，加深了农民的贫困有直接关系。汉武帝派使者到郡县发兵攻打起义军，起义军虽然损失很大，但是溃散的一部分仍能扼守山川，团结一起，汉王朝终于“无可奈何”。于是汉武帝“作《沈命法》曰：‘群盗起不发觉，发觉而捕弗满品者，二千石以下至小吏主者皆死’”[1]。但是地方上从小吏以至县、郡长官，恐怕报告上去受到处罚，因此往往隐匿不报。人民的反抗斗争也就没有停止过。司马迁忠实地叙述了现

---

①《史记》卷一百二十二《酷吏列传》。

实的另一面，旨在说明“法令滋章，盗贼多有”的思想，他显然承认“官逼民反”的合理性，即同情人民的反抗斗争。司马迁写了一篇《陈涉世家》，是这种同情心理最具体的表现。大家知道，陈涉是秦末农民起义军的最初的一个领袖，从起事到失败，不过半年。但是司马迁却给以极高的估价。他在《太史公自序》里说：“桀、纣失其道而汤、武作，周失其道而《春秋》作，秦失其政而陈涉发迹。诸侯作难，风起云蒸，卒亡秦族。天下之端，自涉发难，作《陈涉世家》。”陈涉发难的意义，在于奋臂一呼，代表了人民的意志，“风起云蒸，卒亡秦族”。司马迁的胸中没有什么“正统”偏见，他把陈涉起义比之为“汤、武作”和“《春秋》作”，好像是以“圣王”看待陈涉，而实质上还是以极大的热情歌颂了人民对暴力统治的起义反抗。在《陈涉世家》里，他详细地叙述了陈胜（即陈涉）、吴广发难的经过，正是这种热情的自然流露。同样地，他以非常饱满的情绪写《项羽本纪》，给项羽以极高的地位，固然因为项羽“分裂天下，而封王侯，政由羽出，号为霸王”，而项羽“非有尺寸，乘势起陇亩之中，三年遂将五诸侯灭秦”[①]，这一勇猛无前摧毁暴力统治的英雄形象，却是他崇

---

①《史记》卷七《项羽本纪》。

敬项羽的一个更为根本的原因。

由此可见，司马迁歌颂游侠、刺客以及公孙杵臼、蔺相如、鲁仲连、田横、信陵君等侠义人物，承认人民起义的合理性并歌颂中国历史上第一次人民起义的领袖陈胜、吴广、项羽等等英雄人物，歌颂“循吏”，反对“酷吏”、即反对汉武帝的残酷统治：都是从同情被压迫的人民，憎恶历史和现实的暴力统治这个基本思想出发的。这个基本思想，使他怀疑以至否定传统的是非善恶的旧标准，产生了自己的即广大被压迫人民的是非善恶的新尺度。因此，这个基本思想，也就决定他对待各种人物的态度。

为了更为充分地论证这一点起见，我们不妨再举一二例说明一下。譬如：秦将蒙恬为赵高、胡亥合谋处死，蒙恬自觉冤枉，以为将兵三十万人，起临洮至辽东筑长城万余里，自九原至甘泉通“直道”千八百里，对秦实有大功。司马迁在《蒙恬列传》的论赞里说：“吾适北边，自直道归。行观蒙恬所为秦筑长城亭障，堑山堙谷，通直道：固轻百姓力矣！夫秦之初灭诸侯，天下之心未定，痍伤者未瘳，而恬为名将，不以此时强谏，振百姓之急，养老存孤，务修众庶之和，而阿意兴功：此其兄弟遇诛，不亦宜乎！何乃罪地脉哉？”可见司马迁以他自己的亲眼所见，觉得蒙恬不过是按照统治者的意图办事，所谓“阿意兴功”，并未从被压迫的人民实际所能付出的劳役来考虑。照司马迁看来，当时天下未定，创伤未复，人民已不可能担负如此巨大的劳役，而蒙恬无视人民的痛苦，轻举妄动，最后不得好下场，实在罪有应得。这里，我们姑且不管蒙恬筑长城、通直道的客观效果如何，单看司马迁对蒙恬的评论，我们可以说，司马迁是从被压迫的人民的观点来看蒙恬的事功的。又如在《卫将军骠骑列传》里，司马迁虽然叙述了卫青、霍去病这两位贵戚将军如何打击匈奴有功，如何不断受到汉武帝提拔、赏赐和爱重。但在最后则说：“然（霍去病）少而侍中，贵，不省士。其从军，天子为遣太官，赍数十乘。既还，重车余弃粱肉，而士有饥者。其在塞外，卒乏粮，或不能自振，而骠骑（霍去病）尚穿域蹋鞠，事多此类。大将军（卫青）为人仁善退让，以和柔自媚于上，然天下未有称也。”显而易见，司马迁在这里是从广大的士兵群众的利益出发来揭露这些贵戚将军们的行军内幕和所谓“战功”的。和霍去病的“重车余弃粱肉，而士有饥者”这种贵戚将军的作法完全相反的李广，如司马迁在《李将军列传》里所写的：“广之将兵，乏绝之处，见水，士卒不尽饮，广不近水；士卒不尽食，广不尝食。”这位勇敢善射、和士卒同甘苦、“结发与匈奴大小七十余战”的将军，一生未得封侯，最后且在卫青的褊私和压抑之下被迫自杀。“广军士大夫一军皆哭，百姓闻之，知与不知，无老壮皆为垂涕。”司马迁对李广的赞颂是无以复加的。他觉得李广真正“仁爱士卒”，因而得到士卒的爱护和天下人的同情。总之，司马迁对汉武帝的几位将军的观点不是从他们和统治者的关系出发的，而是从他们和士兵的关系出发的。这种由士兵群众的观点来表明对待将军们的好恶的态度，显然是和上述的基本思想相通的，有密切联系的。

人民性的来源及其局限

说到这里，需要进一步说明的是司马迁为什么会有这种深刻的人民性的思想呢？这大概有下述一些原因：司马迁早年“耕牧河山之阳”，受过农村环境的一些影响。后来他不断地游历各地，不但搜集了古代的许多轶事遗闻，印证了书本上的许多历史事实和传说，而且接触了当时祖国的各阶层人民，熟悉了丰富的、复杂的民情风俗，体验到被压迫人民的痛苦。司马迁一生虽是汉王朝的官吏，但在他一生的主要时期之内，不过是一个“四百石”到“六百石”的下级官吏。“文史星历，近乎卜祝之间”，他的职掌也是无权无势、卑不足道的 。司马迁的这种长期的、卑微的官吏生活（郎中和太史令）不但使他熟悉了汉王朝从“内廷”到“外廷”的贵族、官僚的内部情况，而且也使他认识到贵族、官僚的丑恶面目。又因为他职掌太史，掌握资料，也有充分可能了解到整个封建官僚制度对于广大人民的压迫。而且自从遭了李陵之祸，就更具体地、更深刻地体验到封建压迫的残酷。司马迁一生丰富的生活实践和被压迫的亲身体验就是他的深刻的人民性的思想最为直接的来源。例如：在《游侠列传》里，他写了鲁朱家、楚田仲、雒阳剧孟、符离王孟、济南瞷氏、陈周庸、代诸白、梁韩无辟、阳翟薛兄、陕韩儒、轵郭解、长安樊仲子、槐里赵王孙、长陵高公子、西河郭公仲、太原卤公孺、临淮兒长卿、东阳田君孺等自汉以来遍布各地的游侠人物。这批人物，成分既很复杂，流品亦有高下。司马迁为他们作传，不是一般地加以赞扬，而是有所区别的。他一再赞扬的游侠，既不是“暴豪之徒”，也不是“盗跖居民间者”，而是“振人不赡，先从贫贱始”的朱家式，或“振人之命，不矜其功”的郭解式的真正的游侠。这种广泛的游侠故事的搜集和他们的流品的区分，是和司马迁深入民间，了解他们的活动、熟悉下层社会以及人民的痛苦和希望分不开的。他在遭了李陵之祸以后，就更亲切地体会到救人之急的游侠人物的可贵。实际上他奋不顾身地敢于在汉武帝的盛怒之下，为李陵讲话，就是一种侠义精神的表现。这篇《游侠列传》可能是在遭了李陵之祸以后写的。[①]又如在《酷吏列传》里，他无情地揭露汉武帝及其鹰犬的冷酷无情的嘴脸，痛惜广大的无辜人民所遭遇的莫测祸害，这显然是包括他自己在内的。司马迁受腐刑在天汉三年，这时杜周为御史大夫。他在《报任安书》里叙述受刑的原因说："因为诬上，卒从吏议。"这个"吏"里面，当然有以"酷烈为声"的御史大夫杜周。那么司马迁是亲身遭到"酷吏"的毒手的。这篇《酷吏列传》肯定地是司马迁在受刑以后写的。[②]又如在《货殖列传》里，他写了全国各地的民情风俗、各种物产以及各行各业的发财致富的商人——从富商大贾以至卖浆小贩，这一叙述本身的广泛性就意味着人民性的内

---

①《史记》卷一百二十四《游侠列传》的序论中有一段话："太史公曰：昔者虞舜窘于井廪，伊尹负于鼎俎，傅说匿于傅险，吕尚困于棘津，夷吾桎梏，百里饭牛，仲尼畏匡，菜色陈蔡：此皆学士所谓有道仁人也，犹然遭此灾。况以中材而涉乱世之末流乎？其遇害何可胜道哉！"这些话显然和《报任安书》里说的"且西伯伯也，拘牖里；李斯相也，具五刑"云云，有相似之处。因此，它可能是司马迁受腐刑以后的作品。

②《史记》卷一百二十二《酷吏列传》记杜周事止于"天子以为尽力无私，迁为御史大夫"。按，杜周由执金吾继王卿为御史大夫，在公元前九八年（天汉三年）二月。司马迁入狱、受刑也就在这一年，月份虽不能确定，但有很大可能是在杜周为御史大夫以后。杜周死于公元前九四年（太始三年），《酷吏列传》未记其死，则此篇是司马迁出狱后两三年内写的无疑。

容，而这又是和他的广阔的生活实践密不可分的。但更重要的还在于他大胆地提出对于发财致富的看法。司马迁认为追逐财富是人的本性和目的，从“千乘之王、万家之侯、百室之君”以至贤人、隐者、战士、侠客、妓女、博徒、渔夫、猎户、文法吏士、“游闲公子”、“农、工、商、贾、畜长”等不同的阶层与职业的人们，无不害怕贫穷，百般地追求富有。所谓“天下熙熙，皆为利来；天下壤壤，皆为利往”。因为“人富而仁义附焉；富者得势益彰，失势则客无所之”。“凡编户之民，富相什则卑下之，伯则畏惮之，千则役，万则仆，物之理也”。有些人“与千户侯等”，因为他富有；有些人“不窥市井，不行异邑，坐而待收，身有处士之义”，也因为他富有。具体地说：“千金之家，比一都之君；巨万者，乃与王者同乐。”——这就是所谓“素封”。那些“家贫亲老，妻子软弱，岁时无以祭祀，进醵饮食被服，不足以自通”的人，如果还不“惭耻”，那实在太难了！那些“无岩处奇士之行，而长贫贱，好语仁义”的人，也足够羞耻的了！司马迁的这种对于发财致富的看法是“正统”史家斥“其是非颇谬于圣人”的又一证据：所谓“述货殖，则崇势利而羞贱贫”[①]。千百年以

①《汉书》卷六十二《司马迁传》。

后，还有人认为司马迁罪不容诛，也就根据这一点。[1]司马迁的这种看法，好像歌颂富翁、鄙视穷人，实际是为广大的被压迫、被奴役的穷人鸣不平的，他触及了封建社会的本质：富人——统治者，有钱有势，有名有利；穷人——被统治者，什么也没有，除了被奴役和受耻辱。它反映了汉武帝统治时代封建地主阶级和广大的被压迫、被剥削的农民的尖锐矛盾。司马迁触怒了汉武帝，“家贫财赂不足以自赎”[2]，因而受了耻辱的腐刑，他也体会到封建统治者制定一套残酷的刑法，专门是为对付无钱无势的穷人的。这篇《货殖列传》，从它所反映的愤慨的情绪上来看，显然也是在受刑之后写成的。由此可见，司马迁思想的人民性的内容是和他一生的丰富的生活实践以及不幸的遭遇直接联系着的。

但司马迁思想的人民性的来源，还不止此。上文已经说过，司马迁作《史记》是抱有一定的理想的。这种理想主要是希望通过客观具体的事实来表明封建社会的意识形态，表明所谓“天道”、“王道”以及是非、善恶等等的。而结果《史

① 如元人王若虚说：“《货殖传》云：‘无岩处奇士之行，而长贫贱，好语仁义，亦足羞也。’贫贱而羞，固已甚谬；而好语仁义者，又可羞乎？迁之罪不容诛矣！”（《滹南遗老集》卷十二）可见一般封建文人对司马迁的痛恨。

② 司马迁《报任安书》。

记》所反映的却远出于作者的主观意图之外，发现了天道无凭，王道破产，以及另一种是非、善恶的观念，即与之相对立的广大被压迫人民的是非、善恶的观念。司马迁所以会发现另一种是非、善恶的观念，原因就在于他尊重客观事实、忠实地记录客观事实。客观事实总是广泛存在的，在封建社会里它必然包含着广大被压迫人民的生活和思想情绪。这是司马迁思想的人民性更为深广的来源。司马迁所以能够忠实地记录客观事实，而不是歪曲地记录客观事实，那就是因为现实存在的广大被压迫人民的力量使他不能不正视现实，不能不坚持实录这一基本的著述态度。而他一生的辛苦的实践和不幸的遭遇，就是他所以能够看到广大的被压迫人民、深刻地认识现实的一个直接原因。不可否认，这个直接原因对他坚持实录的著述态度是有很大的影响的。

然而，我们也不能不看到司马迁的人民性的思想，是受到一定的限制的。这种限制是统治阶级的思想即统治的思想影响的结果。

司马迁时代，汉王朝统治的最根本的思想是什么样的思想呢？前面曾经说过，还在司马迁年轻的时候，汉武帝登位后，汉王朝的统治思想已由黄老一派思想改变为儒家的思想。但以董仲舒的思想为代表的所谓儒家的思想，其实是战国晚期邹衍以来阴阳家思想进一步的发展。董仲舒等对于天道和历史的看法，可以概括为一个简单的概念，即天命的历史循环论。他们以为作为一个朝代第一个最高统治者的帝王，非人力所能致，莫不由受命而来。“天令之谓命，命非圣人不行”①。天是有意志和威权的，是帝王的唯一公平的选任者和罢免者。任何一个有“德”的人都必定有机会做帝王，但有一定的年数；到了一定的年数，天即选派有另一种德的人来继位，这是新圣人受命，现任者即无过失，亦无法延长这种运数，“虽继体守文之君，不害圣人之受命”②。历代帝王就是这样不得已地奉行天命来对人间实行统治的。一个新王在坐稳天下之后，一定要举行有历史意义的封禅典礼，告祭天地，以表示他统治的成功。而且也一定要改革旧制度，以表明他是重新受命的新王，并非继承前代。但人们不免要问，何以知道一个帝王是受天命而来的呢？他们说，符瑞的出现，就是证验。有什么样的德，天就相应地显示什么样的符瑞；或者掉转来说，天显示什么样的符瑞，就证明是什么样的德。帝王的本身奇怪的形象就是最切近的一种符瑞，所谓命相。德有不多的几种，由于天命安排，不断运行，不断循环。谁得到循环中的一德，谁就

①《汉书》卷五十六《董仲舒传》。

②《汉书》卷七十五《眭弘传》。

以该德而王。邹衍最初提出以土、木、金、火、水为次序的五德循环论，后来董仲舒又提出以黑、白、赤为次序的三统循环论。他们以为历史上的移朝换代就是根据这样的天命循环而来的。这种带有根本性质的、愚民的、天命的历史循环论，由邹衍到董仲舒，已经发展成为一个完整的思想系统，它有力地维护和巩固着汉王朝的封建统治。

司马迁是在这种统治思想之下生活过来的。他是董仲舒的"及门"弟子，是公羊派《春秋》的学习者；他是汉王朝的官吏，是当时的统治阶级，他著作《史记》的最高理想和最后目的，当然是为了封建统治阶级鉴戒的：因此不可避免地在《史记》里要反映上述封建统治阶级的思想。例如他在《东越列传》的论赞里说："越虽蛮夷，其先岂尝有大功德于民哉？何其久也！历数代常为君王。"这里司马迁企图以东越的祖先"有大功德于民"来解释东越统治的历史长久，固然含有积德报应的气味，但还是从人民的利益来看统治者的存亡的。而在《韩世家》的论赞里，却以"韩厥之感晋景公、绍赵之孤子武，以成程婴、公孙杵臼之义"为"天下之阴德"来解释韩国统治所以历十余世之久，这就不免是迷信了。又如：在《魏公子列传》的论赞里，他赞扬"信陵君之接岩穴隐者，不耻下交"所起的救赵存魏的伟大作用，而在《魏世家》的论赞里，却以为魏之亡国是由于“天方令秦平海内”，魏国“虽得阿衡之佐”，也挽救不了灭亡的命运。这和他在《六国年表》的序里所说秦“卒并天下，非必险固便形势利也，盖若天所助焉”是完全一致的。又如：项羽最后灭亡，自谓乃“天亡我，非战之罪也”。司马迁以为项羽之亡，实由于自恃武勇、专欲以力服人的错误，并斥责项羽“引天亡我，非用兵之罪”①为大谬，这是对的。但他对于刘邦建立汉王朝，却又热情地以为实由于天命，把刘邦歌颂为“受命而帝”的“大圣”②。这些阴德报应、兴亡由于天命的思想，即封建性的、非人民性的思想，都是当时统治阶级的愚民思想影响的结果。

司马迁时代，黄老一派思想在政治上的统治势力虽然已经过去了，但以《老子》那本书为代表的道家思想还是起作用的。以发挥道家思想和阴阳家思想为主要内容的《淮南子》，产生于汉武帝统治的初期。可见在司马迁年轻的时候，不但阴阳家思想得到进一步的发展，道家思想也是有很大的发展的。司马迁的父亲太史令司马谈，就是一个道家思

① 《史记》卷七《项羽本纪》。

② 《史记》卷十六《秦楚之际月表》。

想的赞颂者。显然，司马迁除了受阴阳家思想的影响外，还要受道家思想的影响。道家把天道了解为客观存在的自然的规律，这个规律不是天命安排的，而是自然本身的表现。但这个规律，在道家看起来，并不是一个无穷的发展，也是有限度的、循环的，所谓“万物并作，吾以观复”①。这种自然规律的循环论，应用到社会上来，对一个最高统治者说，也只须顺其自然，“清净无为”，不必要积极地“有为”。因为无论怎样“有为”，对自然的规律是不起作用的，徒然扰乱其本来的秩序。司马迁受这种道家思想的影响最明显的一点，就是他对于汉武帝的种种努力一概流露着不满的情绪。汉武帝努力抗击匈奴，并不断开拓边疆，打开东西交通的道路，使汉王朝成为繁荣昌盛的多民族的统一国家，对中国历史发展是有一定的进步作用的。但司马迁对汉武帝的这些努力，大抵只从好大喜功、劳民伤财上去看，只看见消极扰民的一面，看不见积极利民的一面。这就是道家的天道观和历史观影响的结果。

阴阳家的天命循环论和道家的自然循环论对司马迁的影响，就是特定的历史时代对于司马迁的人民性的思想的限制。这些限制，阻止他更彻底地认识现实、认识历史发展中的

① 《老子》第十六章。

人民的力量，因而他不免还要常常落于封建统治阶级思想的圈套中。然而如我们上面所说，司马迁是冲破了封建统治阶级层层的思想圈套的，应该肯定，强烈的、深刻的人民性的思想是司马迁思想突出的一面。

写作方法

现在谈一下司马迁的写作方法。司马迁是以人物为中心来创造他的伟大著作的，他写了各色各样的人物。他的写作人物的方法也是多种多样、极端复杂的，需要一个全面的、细密的研究。这里我们只能谈一下他的几个基本的写作方法。

司马迁在《留侯世家》里透露了这样一句话：“（张良）所与上从容言天下事甚众，非天下所以存亡，故不著。”这就是说，张良和汉高帝刘邦平日所谈论的天下事很多，那些和天下存亡没有大关系的就不写了。这应该被认为是司马迁写作人物传记的选择材料的方法。选材和上文谈过的“考信”不同：考信的目的在于解决历史材料的真伪问题；选材则更进一步，它的目的在于表现所写人物的特点。不必说张良这样一个对楚汉纷争的局面大有关系的人了，任何一个人的一生，总是说了许多话，作了许多事的，如果统统写在传记里，不但不可能而且是不必要的。因此，写作人物传记的首要方法，在于选择那些重要的、有代表意义的话和事，只要足以表现那个人物的特点就够了。司马迁提出的这种取舍材料的方法，可以认为是他写作人物传记的一个基本方法。

其次，在《留侯世家》里还有“语在淮阴事中”、“语在项籍事中”这样的话。在其他许多篇里，也常常出现这样的话。[①]这是司马迁惯用的、前人早已指出的所谓“互见法”。这一方法，司马迁用在许多篇内，有些注出来了，有些没有注出，用例极为复杂。它们的基本情况大致是这样：某些事件不载于或略载于本篇，而载于或详载于他篇。譬如刘邦过鲁祀孔子、朱家救季布二事，不载于《高祖本纪》和《游侠列传》的“朱家传”，而载于《孔子世家》和“季布传”。张良说汉王封韩信为齐王，允封韩信、彭越以土地二事，在《留侯世家》里略提一下，而详载于《淮阴侯列传》和《项羽本纪》。这些例子甚多，举不胜举。司马迁为什么这样写呢？避

---

① 如《秦本纪》有“其事在商君语中”、“其语在《始皇本纪》中”，《吕后本纪》有“语在齐王语中”，《孝文本纪》有“事在吕后语中”，《礼书》有“事在袁盎语中”，《赵世家》有“语在晋事中”，《萧相国世家》有“语在淮阴侯事中”，《绛侯世家》有“其语在吕后、孝文事中”，《袁盎晁错列传》有“其语具在吴事中”，《郦生陆贾列传》有“语在南越语中”、“语在黥布语中”，《滑稽列传》有“语在《田完世家》中”，等等。

免重复是一个原因，某些事件既然载于或详载于彼，就不必再载于或详载于此。但单是这样的解释显然是不够的。详此略彼的本身，还应该有更积极的意义。某些事件关系到两个人或更多的人，这些事件对于关系到的各个人，往往不是同样轻重，而是有不同轻重的。详此略彼的积极原因，正在于表示出某些事件对于关系到的各个人是有轻重的不同的。譬如刘邦过鲁祀孔子一事，对于刘邦是平常的，而对于孔子则是光荣的、很重要的事了。因此，它不必写于《高祖本纪》，而必须写于《孔子世家》。朱家收藏亡命的季布，对于收藏着许多亡命者的朱家来说，并不是什么稀奇的事，而对于亡命的季布则是关系生死的重要事件。因此，这事不必写于“朱家传”，而必须写于“季布传”。同样地，张良为刘邦筹划的对付韩信和项羽的计谋，对于张良本人没有多大关系，而对于韩信和项羽，则有生死存亡的关系。因此，这事不必写于《留侯世家》，而必须分别写于《淮阴侯列传》和《项羽本纪》。由此可见，司马迁叙述人物事件的“互见法”，不只是消极地避免叙述事件的重复，而是积极地运用资料，为塑造人物的形象而服务的。它的作用是集中事件，或补充事件以便人物形象的突出和完整。《项羽本纪》和《高祖本纪》是两个显明的例子。前者是大力集中一切有关的重要事件，使一个勇猛无前、摧毁暴力统治，而粗豪自满、专欲以力服人，终于为人所制的失败英雄形象充分突出；后者则不是这样，它逐渐地从有关人物的传记里补充了许多事件，终于使汉王朝的“高祖”那样豁达大度而又机智、善变、狡诈多端以至流氓无赖的本色毕露出来。由此可见，这种互见法的运用，决定于作者对所写人物的态度，是司马迁褒贬人物的一种方法。为了显明地褒或贬，集中事件都是必要的；只是对于有些人物，不肯或不敢显明地贬，逐渐补充事件，就有其方便处。

再其次，就是故事化的方法。这是司马迁写人物传记最为出色的一个方法。司马迁写战国、秦、汉的人物资料不少得之于传说和亲身调查，这是他的人物传记能够故事化的一个重要条件。人物传记是一种散文叙事，它容易陷于一般地梗概地叙述事件。故事化就是避免这种局面产生的重要方法。司马迁在人物叙事的故事化上有这样一种情况，就是对某些事件不厌其详地描写细节场面，避免一般的、梗概的叙述。譬如《黥布列传》写英布被迫造反，起于贲赫告变的经过说：“布所幸姬疾，请就医。医家与中大夫贲赫对门。姬数如医家。贲赫自以为侍中，乃厚馈遗，从姬饮医家。姬侍王（英布），从容语次，誉赫长者也。王怒曰：‘汝安从知之？’具说状。王疑其与乱。赫恐称病。王愈怒，欲捕赫。赫言变事，乘传诣长安。布使人追，不及。赫至上变，言：‘布谋反有端，可先未发诛也。’”这里具备了贲赫所以告英布谋反的一些必要的细节，因而就使这一事件增强了具体性，使它故事化了。又如：《张耳陈馀列传》写张耳、陈馀忍受里吏小辱以待起义的情形：“张耳、陈馀乃变名姓，俱之陈，为里监门以自食。两人相对。里吏尝有过笞陈馀。陈馀欲起，张耳蹑之使受笞。吏去，张耳乃引陈馀之桑下而数之曰：‘始吾与公言何如？今见小辱而欲死一吏乎！’陈馀然之。秦诏书购求两人，两人亦反用门者以令里中。”又如《淮阴侯列传》写韩信少时忍辱袴下，《留侯世家》里张良亡匿下邳，为圯上老人进履等等，都是在一些小事件上给以细节的描写，因而加强了它们的故事性。这类例子，实在是很多的。至于《赵世家》写公孙杵臼收藏赵氏孤儿，《魏公子列传》写信陵君自迎夷门监者侯生，《项羽本纪》写项羽鸿门之宴和垓下被围等等，都是著名的有细节、有场面的故事，为大家所熟知，这里连节录也不必要了。司马迁在人物叙事的故事化上还有另一种情况，那就是组织一系列的故事，集中地表现一个中心思想。这很像后世的写小说。譬如“郭解传”和“荆轲传”，都是以完整的故事形式集中地表现了两个不同时代的侠义人物。又如《魏公子列传》，前面既然详细地写了信陵君怎样卑恭地自迎夷门监者侯嬴和屠夫朱亥的故事，后面写的还是怎样卑恭地“从博徒卖浆者游”的事。至于信陵君的真正大事，如何救赵抗秦等，反而写得很简略。这样它就集中地表现了这位“不耻下交”的贵族公子。又如《魏其武安侯列传》写窦婴、田蚡这两个贵戚中间的矛盾怎样发生和发展以至于全归于尽，整篇写的只是两个贵戚的争权夺利的故事。除主角窦婴、田蚡外，其余牵连到的窦太后、王皇后、汉武帝、灌夫、韩安国等等人物，也都是为这一故事而服务的。我们可以说，《史记》里许多篇人物叙事的成功，大概都与这种单一集中的表现方法有关，上述各篇只是故事化最为完整、最为突出的代表作品。

根据对人物的一定的理解和认识，选取其可信的、重要的事件，加以详略不同、彼此互见的剪裁和安排，并使之故事化，这是司马迁写作人物传记的一些基本方法。由于运用了这些方法，司马迁就使他笔下的许多人物不仅富有个性，而且也富有典型性。司马迁写的是历史人物，他固然不能虚构事实，必须依据确实的事实。但是在选择事实、剪裁和安排事实，突出地描写某些事实这一系列的思考过程之中，显然包含着他对事实的认识、想象和体会，上述方法的运用过程实在也就是一个创造的过程。因之，司马迁写的许多历史人物，不但是互相不同的、特殊的实有人物，而且一定也是各个实有人物的理想化。这就是《史记》人物的个性和典型性的由来。可以肯定，司马迁所特别歌颂或憎恨的各类人物，如项羽、陈涉、李广、信陵君、荆轲、郭解（以上是歌颂的）、田蚡、公孙弘、张汤（以上是憎恨的）等等，都是富有个性和典型性的人物。这种特殊人物的典型性的创造，不只是突出地反映了个别实有人物的某些重要方面，而且是广阔地概括了一定社会的某些重要方面，深入地发掘了一定社会的矛盾。信陵君是战国晚期贵族“养士”的一个典型，他那样的“不耻下交”的谦逊风度反映了战国晚期各国统治者争取、利用各种人才和互相兼并的尖锐矛盾。郭解是汉武帝时代下层社会的一个以复仇为快意的典型，他因“振人之命，不矜其功”而为广大被压迫人民所爱护，“郭解传”反映了汉武帝时代在酷吏和豪强的联合统治之下，广大的无辜的被压迫人民所受的灾祸的严重，因而也就反映了黑暗的、毫无正义的封建统治和广大被压迫人民的矛盾。《魏其武安侯列传》描写了更多的人物，或深或浅地刻画了他们的个性，同时也反映了封建王朝内部以窦婴、田蚡为首的贵戚之间争权夺利的矛盾。

由此我们可以这样说：司马迁写作历史人物的基本方法，不是堆砌或平列许多事实，而是有根据地、有标准地选择、剪裁和强调某些事实，因而塑造了各种不同类型的具体人物的个性和典型性，反映了一定社会的广阔的面貌和深刻的本质——这就是司马迁的现实主义的写作方法。这也就是伟大的《史记》所以区别于其前后的无数历史著作，而成为历史和文学唯一互相结合的典范的一个重要原因。

语言的运用

最后，再简单地谈谈司马迁运用语言的一些特点。

司马迁叙述古代历史，首先碰到的是古代语言的问题。他把那些僵化或涵义不明的词汇和句式，按照当时一般的理解改为通俗易懂的词汇和句式。所以他的整齐（规范化）古代历史的工作，实际也包含着整齐古代语言的工作。譬如他根据《尚书·尧典》叙述尧的历史，词句改动很多，就是这种努力的显明例证。试看下面两段话：

帝曰："畴咨若时登庸？"放齐曰："胤子朱启明。"帝曰："吁，嚚讼可乎？"帝曰："畴咨若予采？"谨兜曰："都，共工方鸠僝功。"帝曰："吁，靖言庸违，象恭滔天。"帝曰："咨，四岳，汤汤洪水方割，荡荡怀山襄陵，浩浩滔天，下民其咨，有能俾乂？"佥曰："于，鲧哉！”帝曰：“吁，咈哉，方命圮族。”岳曰：“异哉，试可乃已。”帝曰：“往，钦哉！”九载绩用弗成。

——《尚书·尧典》

尧曰：“谁可顺此事？”放齐曰：“嗣子丹朱开明。”尧曰：“吁，顽凶！”不用。尧又曰：“谁可者？”讙兜曰：“共工旁聚布功，可用。”尧曰：“共工善言，其用僻，似恭漫天，不可。”尧又曰：“嗟，四岳，汤汤洪水滔天，浩浩怀山襄陵，下民其忧，有能使治者？”皆曰：“鲧可。”尧曰：“鲧负命毁族，不可！”岳曰：“异哉，试不可用而已。”尧于是听岳用鲧。九载，功用不成。

——《史记·五帝本纪》

由此可见，司马迁是把《尧典》里那些含糊、拗口的古代语言，翻译为明白、流畅的通俗语言了。有的是字对字、句对句的直译，有的是变换句法或增添字句的意译。他的目的显然在于使人容易了解，使古代的历史和人物能够鲜明生动起来。至于他叙述春秋、战国时代的历史，往往根据《左传》、《国语》、《战国策》等书，整篇节录，词句很少更动[①]，也正因为这些资料一般是容易为当时人了解的，这些时代的历史和人物，还是很鲜明生动的。可见司马迁处理他的写作语言的问题，不是从复古主义者的“颂古非今”出发，而是从现实的要求出发，是以能否鲜明生动地叙述历史和塑造人物为依据的。《史记》的语言，在我们今天看来，全部是所谓“文言”而不是白话。但是《史记》的文言，可以相信，是在当时的通俗语言的基础上产生的，它和当时的通俗语言是很接近的。这从它的一般叙述语和人物对话的谐和上看，就可以证明这一点。

司马迁在运用语言方面，不仅仅是整齐古代语言，使之通俗化，更出色的是，他努力模拟或利用口语的自然语调来刻画人物的神情态度，从而增强人物的个性和典型性。譬如《陈涉世家》写陈涉旧时伙伴的土话：“伙颐！涉之为王沈沈者！”《张丞相列传》写周昌口吃：“臣口不能言，然臣期期知其不可！陛下虽欲废太子，臣期期不奉诏！”这些都是显明的模拟口语的例子，是大家熟知的。又如《李将军列传》写霸陵尉不放李广夜里通过霸陵亭：“广骑曰：‘故李

① 如洪迈《容斋五笔》卷五“《史记》渊妙处”条所举《魏世家》和苏秦、平原君、鲁仲连诸列传，除毛遂一事外，余均见《战国策》。

将军！’尉曰：‘今将军尚不得夜行，何乃故也！’”《韩长孺列传》写蒙县狱吏田甲侮辱韩安国：“安国曰：‘死灰独不复然乎？’田甲曰：‘然即溺之！’”《袁盎晁错列传》写晁错父子口角：“（错父）谓错曰：‘上初即位，公为政用事，侵削诸侯，别疏人骨肉，人口议多怨公者，何也？’晁错曰：‘固也。不如此，天子不尊，宗庙不安。’错父曰：‘刘氏安矣！而晁氏危矣！吾去公归矣！’”《魏其武安侯列传》写灌夫见丞相田蚡倨傲，很不高兴，就拿西宫卫尉程不识出气：“生平毁程不识不值一钱，今日长者为寿，乃效女儿呫嗫耳语！”又写汉武帝见朝臣不敢当面争论田蚡、窦婴的是非，就拿内史郑当时出气：“公平生数言魏其、武安长短，今日廷论，局趣效辕下驹，吾并斩若属矣！”又写田蚡在罢朝后责备御史大夫韩安国世故，不敢公开站在自己一边：“与长孺（韩安国字）共一老秃翁，何为首鼠两端！”显而易见，这些逼真的人物口吻的刻画，也都充分地流露着自然的口语情调。[①] 这正是司马迁塑造人物的个性和典型性的一个极端重要的条件。

---

① 宋人陈善《扪虱新话》上集卷一《读窦灌田蚡传》：“读窦灌田蚡传，想其使酒骂坐，口语历历，如在目前。”这并非过誉。

司马迁运用语言的另一种努力，表现为采用歌谣、谚语、俗语等来叙事或论赞，从而丰富了语言，增强了文章的感染力和说服力。譬如《曹相国世家》引百姓歌：“萧何为法，𩑺若划一。曹参代之，守而勿失。载其清净，民以宁一。”《淮南衡山列传》引民歌：“一尺布，尚可缝；一斗粟，尚可舂。兄弟二人，不能相容。”《魏其武安侯列传》引颍川儿歌：“颍水清，灌氏宁；颍水浊，灌氏族。”《李将军列传》赞引“谚曰”：“桃李不言，下自成蹊。”《游侠列传》序论引“鄙人有言曰”：“何知仁义，已飨其利者为有德。”其赞又引“谚曰”：“人貌荣名，岂有既乎？”《货殖列传》引“谚曰”：“千金之子，不死于市。”又引“故曰”：“天下熙熙，皆为利来；天下壤壤，皆为利往。”又引“谚曰”：“百里不贩樵，千里不贩籴。居之一岁，种之以谷；十岁，树之以木；百岁，来之以德。”《佞幸列传》引“谚曰”：“力田不如逢年，善仕不如遇合。”《白起王翦列传》赞引“鄙语曰”：“尺有所短，寸有所长。”《平原君虞卿列传》赞引“鄙语曰”：“利令智昏。”《郑世家》赞引“语有之”：“以权利合者，权利尽而交疏。”《孙子吴起列传》赞引“语曰”：“能行之者，未必能言；能言之者，未必能行。”《春申君列传》赞引“语曰”：“当断不断，反受其乱。”《刘敬叔孙通列传》赞引“语曰”：“千金之裘，非一狐之腋也；台榭之榱，非一木之枝也；三代之际，非一士之智也。”《袁盎晁错列传》赞引“语曰”：“变古乱常，不死则亡。”《张释之冯唐列传》赞引“语曰”：“不知其人，视其友。”大家知道，这些歌谣、谚语、俗语等等，都是不断产生、流传和修改的民间口头创作，它们概括了广大的社会生活，因而是特别富有战斗性和表现力的一种特殊的精粹的语言。这种语言的采用，是司马迁深入生活、留心生活的口头语言的自然结果。

整齐过时的、难懂的古代语言，使之通俗化；模拟或利用口语的自然语调来刻画人物；采用歌谣、谚语来叙事说理：这是司马迁运用语言的一些特点。这些特点虽然不能概括司马迁运用语言的全部现象，但它们无疑是重要的，因为它们也正是司马迁的人民性和现实主义精神的反映。

历史和文学统一的范例

《史记》是一部伟大的、富有创造性和科学性的古典史学名著，它网罗了“六经异传”、“百家杂语”以及“天下放失旧闻”，并以“六经”和亲身调查见闻为标准，在“考信”和“实录”的基础上，使之纳入于一个包含五种体例，并由于它们的互相配合和补充而形成的完整的定型的系统。它第一次有组织地、有计划地全盘整理了中国历史。它是秦、汉以来伟大统一的封建国家在历史文化上的反映。

《史记》的“十表”，错综而复杂地反映了一定时期的历史事件的发生和发展；它的“八书”，独立而集中地反映了自然和社会文化的某些重要方面的历史；它的主要部分则是数量很多的包括各个阶层、各个类型的历史人物的传记，这些传记具体而生动地充实了历史的内容，扩大了历史的范围，因而奠定了它的人民性的基础。

司马迁写作这些人物传记的目的，不是无所谓的，相反，而是取法《春秋》，通过具体事实，来贯彻他的“别嫌疑，明是非，定犹豫，善善恶恶，贤贤贱不肖”的批判理想的。他的批判历史人物的标准，当然离不开封建统治阶级的思想意识，但是由于著者忠实地记录客观事实，这就暴露了各个历史时期的复杂的社会矛盾，因而怀疑以至否定了传统的旧标准（虽然不是很彻底的），大胆地提出了自己的标准。他歌颂起义反抗暴力统治的英雄人物，歌颂游侠、刺客那种激于公愤、不惜牺牲自己的精神；他讽刺或厌恶残暴的统治者及其凶恶的鹰犬。司马迁这种爱恶的界线，都是从同情被压迫的广大人民出发的。他自己的广阔丰富的生活实践和不幸的遭遇，使得这种爱恶和同情更为强烈、更为鲜明。这就是司马迁的也就是《史记》的人民性的具体表现。

作为古典文学作品看的《史记》，是和《史记》之为历史著作的特点分不开的。历史著作和文学作品是两种不同的认识形式；前者是科学的范畴，后者是艺术的范畴。而《史记》的人物纪传则是它们的巧妙的结合和统一。《史记》里的许多人物以及他们的实践活动都是实有其人和实有其事的（《史记》里是否有神话传说中的人物故事是另一问题），这是它所以区别于传奇小说而为历史著作的特点所规定的。《史记》的人物传记所以富有文学性，在于它根据确实可信的历史事实，加以选择、剪裁和强调，通过简洁明晰和通俗的语言，忠实地塑造了各种人物的个性和典型性，从而反映了一定社会的复杂生活及其本质和面貌。这就是司马迁的现实主义。历史的“纪传”体也许“古已有之”，但使这种“纪传”体成为我们所谓传记文学，则不能不说是司马迁的空前独创。司马迁的许多人物传记是历史和文学统一的范例，司马迁是我国伟大的现实主义的历史家和文学家。

司马迁在中国文化史上的地位和影响

汉武帝时代，汉王朝经历前此六七十年相对安定的局面，发展到了鼎盛时期。经济繁荣，国力强大，文化灿烂，人才辈出："儒雅则公孙弘、董仲舒、兒宽，笃行则石建、石庆，质直则汲黯、卜式，推贤则韩安国、郑当时，定令则赵禹、张汤，文章则司马迁、相如，滑稽则东方朔、枚皋，应对则严助、朱买臣，历数则唐都、落下闳，协律则李延年，运筹则桑弘羊，奉使则张骞、苏武，将率则卫青、霍去病，受遗则霍光、金日磾，其余不可胜纪。"这就是班固所谓"汉之得人，于兹为盛"① 的情况。

司马迁生长于封建的经济、政治和文化全面发展的时代，以"近乎卜祝"的卑微的史官地位，出现于这些人才中

①《汉书》卷五十八《公孙弘卜式兒宽传》。

间，岂但以“文章”著名而已。他实在兼有数家之长，而为这个时代的文化伟人。在中国文化史上，固然有其永久的、崇高的地位，即在世界文化史上，也应有其一定的、不可磨灭的地位。他的伟大著作《史记》是这样一种优异的作品，以致二千年来成为无数的中国历史学家、文学家不断学习的榜样和追攀的峰顶，它是中国人民最为宝贵的文化遗产之一，也应是世界人民的文化宝库里光辉的一份。

司马迁的坚持实践和理想的精神是首先应该肯定的。他的实践精神，表现在他的一生几乎游历了伟大祖国的广阔领土的全部，从而获得了丰富的现实知识和历史知识，以致成为他的伟大著作密不可分的构成部分。他的理想，表现在他坚持以生动的、具体的历史事实来表明客观社会的变化发展和善恶是非，而当这一理想遭到严重的、致命的打击的时候，他拭去了耻辱的血泪，继续坚持他的理想。司马迁的实践精神和他的理想是统一的。他的理想，通过努力的实践，终于变成了现实。伟大的《史记》就是这种坚持实践和坚持理想的精神的结晶。

从《史记》所反映的复杂、丰富、深刻的思想来说，司马迁是在他的时代中的一个独特的思想家。司马迁时代的思想，一派以董仲舒为代表，他们的思想是儒家和阴阳家思想的混合物；一派以淮南王刘安的门客为代表，他们的《淮南子》是道家和阴阳家思想的混合物。司马迁是不可避免地要受这两派思想的影响的。但是司马迁和这些思想家之间存在着一个根本的区别，就是这些思想家都是从玄学的概念出发，公式化地谈思想；司马迁则是从历史的事实出发，客观具体地说明自己的思想。因此，司马迁能从这些思想家层层的迷雾之中不断地冲出来，表现了某些独特的思想。他怀疑积德报应的“天道”；他的现实主义的历史记事，打破了历史循环论的公式；他否定了封建统治阶级所谓道德，而且能从广大的被压迫的人民群众出发，看出那些反抗强暴、救人之急、不怕牺牲自己的另一类人的道德品质。这些思想，在司马迁的思想中，虽然还不能说占据了全部的地位，但至少也应该说是最为突出的一面，是富有人民性的一面。这是司马迁从无数的古今历史事实当中获得的进步的思想，也是司马迁所以区别于他的时代的一切从玄学概念出发的思想家的一些独特的思想。

从太史令的职守上看，司马迁也是一个星历专家。“汉之为天数者，星则唐都。”[①]司马谈曾“学天官于唐都”，司马迁在太初改历时和唐都同事，大概也直接请教过唐都。在

①《史记》卷二十七《天官书》。

星历这一方面，司马迁是经过专家传授的。《史记》的《天官书》叙述恒星，“以天极起，以织女结，五官部星，环天一周，起讫有序，观察至密”[①]。这正是一个星历专家的本领。汉武帝太初元年的改定历法，是中国天文学史上的一件大事，司马迁是这件大事的直接负责人。从太初历建寅以后，“虽历术屡变，除魏明帝、伪周武氏外，无敢复用亥、子、丑三正者”[②]。在司马迁倡议和主持之下，“行夏之时”的理想不但实现了，而且长久地固定下来了。司马迁在天文历法上的贡献是值得我们今天的天文学专家们来加以研究和发扬的。

两千年来，最为世人称颂不绝的，大家知道，是司马迁在史学方面的成就和贡献。在中国史学史上，司马迁真正是一个开山的人物。他对中国史学的伟大贡献，在于明确了全面的、发展的历史观点，建立了一种有组织系统的、完备的历史方法，整理了中国自发展以来三千年的历史。《史记》记录了自然现象和社会、文化现象的许多重要方面，它的内容的广泛性，表明了全面的历史观点；而对每一现象的记录，又都不是

---

① 朱文鑫《史记天官书恒星图考》，商务印书馆版，第五五页。

② 王国维《太史公行年考》。

平列或堆积，而是“原始察终，见盛观衰”的，表明了发展的历史观点。它的纪、表、书、世家、列传等五种体例，互相独立而又互相联系和补充，表明了完备的历史方法。伟大的《史记》，从内容到形式，反映了科学的系统性、复杂性和深刻性。它是以“究天人之际、通古今之变”为目的，以后世所谓“纪传体”为形式，第一次整理了中国三千年的发展的历史。这是司马迁的伟大创作。

在司马迁以前，我们的历史著作，有《尚书》，它是虞、夏、商、周的统治者在个别事件上的宣誓或训诫的记录；有《春秋》，它是东周以后一个时期的列国新闻的简单摘要；有《国语》，它是周室和几个主要侯国的卿士大夫们的片段语录；有《左传》，它在《春秋》的基础上，补充和加详了《春秋》的叙事，特别是记述了某些历史大事（如战争）的曲折原委，也刻画了人物的口吻、活动，它比之《春秋》虽然是发展了一大步，但到底还只是春秋列国政治、外交和军事斗争的历史；之后有今已残缺的《竹书纪年》，它记事的年代虽加长了，但还只是《春秋》一类的作品；有《战国策》，它是战国时代游士的片段说辞，是和《国语》一类的；有《世本》十五篇，从残存的篇目上看，它分门别类地叙述历史社会的某些方面，形式和上述诸书不同而和《史记》相似，但在内容的广泛性和复杂性上，组织的系统性和完整性上，恐怕还是不能和《史记》相提并论的；又后有《楚汉春秋》，其真相虽不得而知，但至多也只是楚汉之际的一段历史：总之，在司马迁以前的若干历史著作，虽不失为司马迁创造《史记》的榜样，但从《史记》所显示的观点、方法以及内容来看，它们都不免暴露了一定的原始历史资料的面貌。司马迁的卓越的劳绩，就在于他网罗了古今散碎的历史资料，并使之纳入于一个完整的系统，从而树立了自己的历史观点和历史方法，建设了规模宏大的第一部中国通史，使中国的历史学走上一个新的阶段。

《史记》流布以后，影响是长远的、不可估计的。从西汉到东汉，一方面因为单篇流传，它本身已有所散失[①]；一方面因为它启发了人们的历史研究的方法和兴趣，因此不断地有人来写它的续编，那结果就产生了班彪、班固父子

---

① 据《史记·太史公自序》，《史记》全书百三十篇，司马迁是写完了的。《汉书·艺文志》著录“《太史公》百三十篇”，附注说：“十篇有录无书。”《汉书·司马迁传》也说：“而十篇缺，有录无书。”注引张晏曰：“迁没之后，亡《景纪》、《武纪》、《礼书》、《乐书》、《兵书》、《汉兴以来将相年表》、《日者列传》、《三王世家》、《龟策列传》、《傅靳列传》。元、成之间，褚先生补缺，作《武帝纪》、《三王世家》、《龟策》、《日者传》，言辞鄙陋，非迁本意也。”《史记》的这一缺和补的问题，古今学者意见不一，似难得到彻底的解决，这里也不用多加讨论。

的《汉书》。[①]《汉书》出现以后，从东汉到南北朝，中国历史学有了很大的发展，《隋书·经籍志》史部就著录了一万六千五百五十八卷。唐代历史学者刘知几把中国历史学分为六家："一曰《尚书》家，二曰《春秋》家，三曰《左传》家，四曰《国语》家，五曰《史记》家，六曰《汉书》家。"[②]这种形式的分类，实际上降低了《史记》的地位。如上文所说，《尚书》、《春秋》、《左传》和《国语》四家，显然不能和《史记》并列。《汉书》出现以后，人们《史》、《汉》并称，过高地估计了《汉书》，其实它也是不能和《史记》并列的。《汉书》在历史方法上完全模仿《史记》固不必说，而在历史观点上则又完全否定了《史记》。它

---

① 《汉书·艺文志》著录"冯商所续《太史公》七篇"。注："韦昭曰：'冯商受诏续《太史公》十余篇，在班彪《别录》。……'师古曰：'《七略》云：商……后事刘向，能属文。后与孟柳俱待诏，颇序列传……'"又《后汉书·班彪传》："武帝时司马迁著《史记》，自太初以后阙而不录，后好事者颇或缀集时事。然多鄙俗，不足以踵继其书。"李贤注："好事者，谓扬雄、刘歆、阳城衡、褚少孙、史孝山之徒也。"由此可见《史记》流传后，续书风气的一斑。《班彪传》又说："彪乃继采前史遗事，傍贯异闻，作《后传》数十篇。"班彪《后传》也是《史记》续书的一种。《后汉书·班固传》："固以彪所续前史未详，乃潜精研思，欲就其业。"班固续父彪业，那结果就是《汉书》。显然《汉书》是在西汉以来《史记》续书的基础上产生的。

② 《史通》卷一《六家篇》。

把《史记》的《项羽本纪》和《陈涉世家》一律降为列传，又给汉惠帝立本纪，这样就取消了司马迁承认客观现实存在和发展的历史观点，建立了以西汉王朝为正统的历史观点。正是由于它以一个朝代为正统的历史观点，符合了两千年来不断改朝换代的封建统治阶级的历史要求，因而它也发生了很大的影响，以至于和《史记》并列，成为刘知几所谓“六家”之一。《汉书》影响最坏的一面，就是它的正统的观点，使司马迁所规定的承认客观现实存在和发展的历史学，变为“成则为王，败则为寇”、“一朝天子一朝臣”、陈陈相因的所谓正统的历史学。在这种正统的历史学统治之下，历代以来，虽然累积了大量的史学遗产，但其中在历史观点上继承并发展司马迁的，实在是非常之少的。一般只在历史方法上前后彼此模仿，虽然也有所改进，但总结起来却只有以人物为主的纪传体、以年代为主的编年体和以事件为主的纪事本末体三种方法。这三种方法，基本上仍然不出《史记》的五种体例之外。这难道不是事实吗？

肯定地讲，在中国新史学产生以前，《史记》真正如鲁迅先生所说，是“史家之绝唱”[①]，司马迁确实是古代杰出的伟

① 鲁迅《汉文学史纲要》第十篇。

大的历史家。

司马迁创造了纪传体的历史学，同时也创造了所谓传记文学。从中国文学史上看，文学家的司马迁是可以和伟大诗人屈原的名字并列在一起的。这不仅因为他们的身世遭遇有某些共同之处，重要的是他们作品的现实主义精神也是非常相似的。屈原作品以《离骚》为代表，他反复强调他的理想政治、理想人格和楚国贵族小集团昏庸腐朽的统治不可调和；司马迁在《史记》里不断流露出他对汉王朝的残暴、愚昧的封建统治的厌恶和对被压迫人民的同情。鲁迅先生又说《史记》是“无韵之《离骚》”①，也是非常恰当的。

从散文的发展史上看，司马迁把中国的历史散文推向一个新的高峰。在《史记》以前，历史的叙事散文而有文学性的是《左传》。它往往把《春秋》里一条简单的新闻记事，铺张成为有细节和场面的委曲描写，反映了历史事件发展的具体过程，增强了形象性，这是《左传》散文的一个发展。但《左传》的叙事为年月所分割，还不能充分发挥散文叙事连贯性的特质，因而限制了叙事的完整。尤其感觉不足的是，《左传》于叙事之中虽然也刻画了人物口吻，但毕竟还没有塑造出

① 鲁迅《汉文学史纲要》第十篇。

人物的生动、鲜明的形象。后来的《战国策》叙事，人物形象虽然比较生动了，但也还只是片段的、不完整的。《史记》的散文，恰恰弥补了《左传》和《战国策》这些主要的缺点。它的“八书”，大都是完整地反映事件的发展过程的。它的许多篇人物传记，不但个性显明，而且也富有典型性。它们反映了广阔的深刻的社会历史的内容。它们的文学性是可以和后来的某些现实主义的小说相提并论的。从散文的发展史上看，《史记》无疑是一个新的高峰。

由于西汉辞赋和散文的发展及其影响，东汉产生了文章的概念，人们往往以司马相如和司马迁为文章家的代表，文章家就是文学家。司马相如是汉武帝时代著名的辞赋家；司马迁也写过辞赋，但他的著名的作品则是《史记》的传记散文。

《史记》对中国的文学影响也是非常大的。班固父子从封建统治者的观点出发，否定了司马迁思想中某些人民性的内容，所谓“论大道则先黄老而后六经，序游侠则退处士而进奸雄，述货殖则崇势利而羞贱贫：此其所蔽也”，但到底也不能不“服其善序事理，辨而不华，质而不俚，其文直，其事核，不虚美，不隐恶，故谓之实录”[①]。从班氏父子的《汉书》

① 《汉书》卷六十二《司马迁传》。

起，一切所谓“正史”不仅在体裁形式上因袭《史记》，在散文叙事上也自然地要以《史记》为规范。《汉书》的人物传记还能显示某些特点，《汉书》而后，就不免有如章学诚所云：“纪传行之千有余年，学者相承，殆如夏葛冬裘，渴饮饥食，无更易矣。然无别识心裁可以传世行远之具。而斤斤如守科举之程式，不敢稍变。”[①] 这里章氏指摘的是千年不变的历史方法，当然包括历史散文的叙事。那些“正史”里写了无数的历史人物，但能像《史记》里所写那样生动鲜明、有个性和典型性的，实在很不多见。

除历史散文以外，唐、宋以来所谓古文家的一般散文，也莫不以《史记》为学习模仿的一个最高的标准。但大多数也只是以模仿为能，很少有超越《史记》散文的规范之外的。这已是人所共知，不必说的了。

《史记》对后世的戏剧也发生了很大的影响。从唐代直到现在，《史记》里的若干故事人物，不断地为戏剧家搬上舞台。[②] 对某些通俗演义小说，它自然也有一定的影响。[③]

---

① 《文史通义》卷一《书教》下。

② 唐代歌舞戏中有《樊哙排君难》戏（见王国维《宋元戏曲史》）。元人杂剧和现代京剧里都有不少取材于《史记》的剧目。

③ 讲史小说如《西汉通俗演义》等，自然要以《史记》为重要的取材园地。

由此可见，司马迁对中国文化的贡献是多方面的，而且是卓越的；他的影响是广阔的，而且是长远的：在中国思想史、天文学史、史学史和文学史上都有其崇高的、光辉的、不可磨灭的地位，司马迁是中国的文化伟人，也是世界的文化伟人。[①]

司马迁所以能成为这样的文化伟人，原因当然在于他的才力、家学渊源以及他的坚持实践和坚持理想的精神，但是更重要的，还在于他的具体的历史时代。秦汉以来统一国家的形势，结束了政治上的分裂局面，也结束了思想上的百家论争。总结古代以来的历史文化并从而给大一统局面以哲学和历史的解释，成为秦汉以来新的历史时代即新的封建统治阶级的现实要求。到了汉武帝时代，统一国家的经济、政治、文化，有了进一步的发展，于是这种要求就更为迫切了，条件也更为具备了，“究天人之际，通古今之变，成一家之言”的《太史公书》，就是这种要求最充分的一种表现形式。伟大的司马迁的成就和他的具体历史时代即汉武帝时代是有血肉关系的，他是汉武帝时代文化上的真正代表人物。

---

① 可参见近人朱偰的《司马迁史学的新评价》一文，载《光明日报》副刊《史学》第三十五号。

附录　司马迁是怎样写历史人物的传记的

——从“实录”到典型化

司马迁的《史记》，以“究天人之际，通古今之变，成一家之言”①为目的，以本纪、表、书、世家、列传五种体例为形式，有组织有条理地叙述了我国古代从传说中的黄帝到汉武帝时候约三千年的历史。这是一部伟大的历史著作，是前所未有，并世少见的创作。作为历史著作的《史记》，它的五种体例互相区别而又互相联系和补充，形成了一个不可分割的整体。它的主要部分是本纪、世家和列传。它们系统地叙述了历代各色各样的人物活动的历史，因而形成了以人物为中心的我国古代首尾约三千年的历史画廊。在这个画廊里面——特别是从战国到著者当世这一段，一系列的生动鲜明的人物形象，反映了复杂丰富的历史内容。因此，《史记》不仅是杰出的历史

① 司马迁《报任安书》，参见《汉书》卷六十二《司马迁传》。

著作，其中的人物传记也是古典文学的优秀作品。《史记》流布以后，多少年来，被人们传诵不绝，家喻户晓，影响了无数的历史家和文学家。显而易见，这是和那些历史的而又是文学的人物传记有莫大的关系的。

两汉之际，由于《史记》人物传记的美妙，引起学者们的爱好和模仿，就产生了《史记》的许多续编。班彪“作后传数十篇”，成为班固《汉书》的基础。他的《略论》一篇，比较具体详细地评论了《史记》，也成为《汉书·司马迁传》赞的直接来源。班彪父子严厉地批评司马迁“是非颇谬于圣人：论大道则先黄老而后六经，序游侠则退处士而进奸雄，述货殖则崇势利而羞贱贫：此其所蔽也”。但他们也不得不承认：“自刘向、扬雄博极群书，皆称迁有良史之材，服其善序事理，辨而不华，质而不俚，其文直，其事核，不虚美，不隐恶，故谓之实录。”①

刘向、扬雄和班彪父子们所一致承认的“实录”，就是司马迁写历史人物传记的一个根本精神。

实录是历史著作的方法（著录事实），也是史家对待历史的态度（“不虚美，不隐恶”）。它的根本精神在于承认客观

① 《汉书》卷六十二《司马迁传》。

事实的存在，并忠实于那些事实，按照事实的原有情况固定下来，著录下来。这种精神，在《史记》里，特别是在那些人物传记里，充分地表现出来了。司马迁为帝王将相贵族士大夫一系列的上层统治人物作传，也为游侠、刺客、医生、卜者、商人、俳优等广泛的社会各阶层人物作传；为汉族的统治者作传，也为其他民族的君长作传；为以才能立功的忠臣作传，也为“以色幸”的弄臣作传；为人民爱护的好人作传，也为人民憎恨的坏人作传：这一切都是实录精神的表现。又如清人徐时栋说：“天下号令在某人，则某人为本纪，此史公史例也。故《高祖本纪》之前，有《项羽本纪》；高祖以后，不立“孝惠皇帝本纪”，而独立《吕后本纪》，固以本纪为纪实，而非争名分之地也。此后无人能具此识力，亦无人敢循此史例矣。”[①]司马迁的识力和史例所以卓绝千古，高出于后来那些“正统”史家，道理原很简单，只是贯彻了史家应该具有的实录精神。从写作实践来看，即以《项羽本纪》言之，他固然给项羽以最高的历史地位，并以许多具体生动的历史事实塑造了这个勇往直前、摧毁暴力统治的英雄形象，但他对于项羽那种到处坑杀、以粗豪自满等严重弱点，也都据事直录，并没

① 《烟屿楼读书志》卷十二。

勉强地掩饰：

> 项王见秦宫室皆以烧残破，又心怀思，欲东归。曰：“富贵不归故乡，如衣绣夜行，谁知之者？”说者曰：“人言‘楚人沐猴而冠耳！’果然。”项王闻之，烹说者。[1]

这个故事，实在揭穿了这位英雄人物思想庸俗、胸无大志、幼稚可笑的一面。同样地，在《高祖本纪》和其他某些有关人物的传记里，他固然给汉王朝的高祖刘邦写了许多神奇体面高出项羽的事情，却也写了不少庸俗丑恶甚于项羽的事情。所有那些事情当然是当时实有的事实或传说。可见在人物的写作实践中，司马迁也是坚持了实录精神的。

班彪父子肯定司马迁的实录精神，而批评他“是非颇谬于圣人”，这是一个矛盾。他们不知道一个正直的史家的“实录”和圣人的“是非”永远要发生矛盾的。在封建时代，所谓圣人的是非代表着统治阶级的道德观点，是维护统治阶级利益、压迫广大阶层人民的一种圈套。它是从主观观念出发的，一和客观现实相碰，就会发生严重的矛盾，遭到有力

① 《史记》卷七《项羽本纪》。

的打击。在现实社会中，封建统治阶级和广大被压迫人民之间经常发生着利益的冲突，经常存在着是非的矛盾和斗争。广大被压迫人民对圣人所谓是非的虚伪性、欺骗性从来看得很清楚。“窃钩者诛，窃国者侯。侯之门，仁义存。”[①]侯门“仁义”即封建统治阶级的“仁义”，是从窃国来的。“人富而仁义附焉”[②]，有钱有势的人就有“仁义”。因此乡下人说：“何知仁义，已飨其利者为有德。”[③]广大被压迫人民从实际利益来看道德问题，他们是不管圣人口头上的“仁义”的。这是现实中广泛存在的矛盾，也就是真实的历史。由此可见，司马迁的实录反映了客观社会的错综复杂的真实情况，必然反映了封建统治阶级和广大被压迫人民之间的无数的矛盾和斗争，因而反映了客观实际的真实的历史。班彪父子斥他“是非颇谬于圣人”，正是司马迁严肃的实录精神的结果。

统治阶级对史家的实录，从来是很厌恶和害怕的。因为在实录里面虽然有许多对统治者有利的东西，但必然也有许多对统治者不利的东西。统治者对人民的严重压迫和残酷剥削以及人民的不平呼声和起义反抗，统治者的褊私愚蠢和奢侈荒

---

① 《史记》卷一百二十四《游侠列传》序论，语本《庄子·胠箧篇》。
② 《史记》卷一百二十九《货殖列传》序论。
③ 《史记》卷一百二十四《游侠列传》序论。

惰等等，通过实录，不可避免地都要揭露出来。这种揭露对统治阶级是一种严重的打击，是很不利的，因而统治者就不能容忍。但统治阶级需要历史，原是希望从历史里取得足够的教训以便维持其长期剥削统治的。这样，统治阶级就不能绝对地排斥史家的实录，因为只有在实录里面才能看见客观事实发展的真相原委，才能“原始察终，见盛观衰”①，才能“通古今之变”，得到历史的鉴戒作用。统治阶级对史家实录那种无可奈何的矛盾的态度，就是司马迁历来遭到统治阶级及其士大夫种种毁誉的根源。他既被一些人毁为“作谤书”，“非贬孝武，令人切齿”，该杀；又被另一些人誉为“有良史之才”，“有奇功于斯世”，只是“不隐孝武之失，直书其事耳，何谤之有乎？”②这些人的争执都是由于对司马迁的实录所持不同的态度而起的。

还应指明，司马迁的实录并不是无动于衷地、完全被动地直录事实，而是和他的著述理想有密切联系的。他的著作《史记》的最高理想在于取法《春秋》，继承孔子的述作事业。《春秋》“明是非”，“采善贬恶”③，他作《史记》也

---

①《史记》卷一百三十《太史公自序》。

② 参见《三国志·魏志》卷六《董卓传》注、卷十三《王肃传》。

③《史记》卷一百三十《太史公自序》。

正是这样的。固然“据事迹实录，则善恶自见”[①]，但作者自觉地表明对那些事迹的态度，就能使是非善恶的本来面貌更加鲜明。《史记》的许多人物传记显示了作者的褒贬爱憎的态度，是和作者自觉地寓理想于实录之中有很重要的关系的。

这样，司马迁从根本的实录精神出发，他又是怎样具体地写那些人物传记的呢？

选择或识别人物是他首先要考虑的问题。司马迁写的是历史，一系列的王朝中央和地方的当权统治人物他必须写，没有选择的余地。除此以外，人物还是很多的，不可能也没有必要为他们个个都作传，他必须有选择地写。在《张丞相列传》里，他写了张苍等四个丞相后，就概括地说：“自申屠嘉死之后，景帝时，开封侯陶青、桃侯刘舍为丞相，及今上（武帝）时，柏至侯许昌、平棘侯薛泽、武强侯庄青翟、高陵侯赵周等为丞相，皆以列侯继嗣，娖娖廉谨，为丞相备员而已，无所能发明，功名有著于当世者。”这清楚地表明司马迁对那些“备员而已”的丞相，并不为他们一律作传。相反，对于那些没有地位的俳优，因为他们的“谈言微中，亦可以解纷”，他却写了一篇《滑稽列传》。有些下层人物，

① 《韩昌黎集·外集》卷二《答刘秀才论史书》。

流品复杂，鱼目混珠，他也严格地加以区别。例如他作《游侠列传》，说明他所称道的朱家、郭解等“乡曲之侠”既和上层的那些慷慨好义的贵族公子有区别，也和下层的那些“侵凌孤弱”的土豪恶霸有区别。最后在传末又着重地说：“至若北道姚氏、西道诸杜、南道仇景、东道赵他羽公子、南阳赵调之徒，此盗跖居民间者耳，曷足道哉？此乃乡者朱家之羞也。”对于那些严酷的官吏，他也不是一概唾弃，而是挑选一批有代表性的来写。他在《酷吏列传》里写了郅都、杜周等十人，并说这些“以酷烈为声”的人物，“虽惨酷，斯称其位矣”。又说，“至若蜀守冯当暴挫，广汉李贞擅磔人，东郡弥仆锯项，天水骆璧推咸，河东褚广妄杀，京兆无忌、冯翊殷周蝮鸷，水衡阎奉朴击卖请，何足数哉！何足数哉！”对于这些不足数的酷吏，他就这样一笔带过了。由此可见，司马迁写人物传记，无论写丞相、倡优、好人或坏人，首先总要具体地考虑那个人物某些突出的、有代表意义的重要方面，因而形成那篇传记的中心思想或主要倾向。

随着具体人物的选择，当然要有具体事迹的选择。孔子说：“我欲载之空言，不如见之于行事之深切著明也。”[1]孔子

①《史记》卷一百三十《太史公自序》。

作《春秋》企图以具体的历史事实反映是非善恶，司马迁写历史人物传记也基于这种自觉。《管晏列传》赞："吾读管氏《牧民》、《山高》、《乘马》、《轻重》、《九府》，及《晏子春秋》，详哉其言之也。既见其著书，欲观其行事，故次其传。"司马迁对历史人物，不仅要"听其言"，而且要"观其行"的。但一个人物的事迹不可能也没有必要统统写在传记里，还必须适当地选择。而且从积极意义的褒贬来说，也有选择的必要。怎样选择呢？首先是那些可信的事。司马迁写的是历史，不是传奇小说，他必须这样做。例如他说："苏秦被反间以死，天下共笑之，讳学其术。然世言苏秦多异，异时事有类之者，皆附之苏秦。夫苏秦起闾阎，连六国从亲，此其智有过人者。吾故列其行事，次其时序，毋令独蒙恶声焉。"[①]又说，"世言荆轲，其称太子丹之命天雨粟、马生角也，太过。又言荆轲伤秦王，皆非也。"[②]这就表明司马迁对许多世俗流言不甚可信的传说是采取了慎重的态度的，他所写的人物事迹是经过选择，取他自己以为可信的。除了"考信"之外，他还要进一步选择那些重要的事迹。所谓重要事迹当然

---

①《史记》卷六十九《苏秦列传》。

②《史记》卷八十六《刺客列传》。

指的是那些具有较大的社会意义的事。对于一个人物的塑造，这类事迹的选择是完全必要的。因为通过某些重要的事迹的叙述，才能突出这个人物的重要方面，因而使这个人物的特点显著起来。譬如为张良作传，他声明不写张良的那些与天下兴亡无关的话，这是很对的。因为不这样，这个在楚汉战争中起过重要作用的著名人物的特点就不能表现。但我们不能由此就说，司马迁写人物传记，完全不写小故事。相反，他在许多篇传记里，不断地写些琐事，而且由于那些琐事的叙述，人物的基本特点往往更为显著。这种例子也是很多的。《万石君传》写石奋父子的恭谨道：

> 万石君少子庆，为太仆，御出，上问："车中几马？"庆以策数马毕，举手，曰："六马。"庆于诸子中最为简易矣，然犹如此。

这个小故事，使我们知道，石奋父子日常那种伴君如伴虎、诚惶诚恐、唯恭唯谨的态度达到怎样可笑的程度。又如《酷吏列传》写张汤小时候一个故事：

> 其父为长安丞，出，汤为儿守舍。还而鼠盗肉。其父

怒，笞汤。汤掘窟，得盗鼠及余肉；劾鼠掠治，传爰书，讯鞫论报，并取鼠与肉，具狱磔堂下。其父见之，视其文辞，如老狱吏，大惊，遂使书狱。

张汤这个儿时故事虽属游戏性质，但我们对于张汤后来善于揣摩汉武帝意旨，巧立法令名目的基本面貌，却由此早得到了初步的印象。司马迁写人物的小故事，不是随意点缀，而是基于对人物的理解，借以更好地塑造人物形象的。

经过选择的步骤，一个人的事迹可能还是很多的。而且某些重要的事迹往往要关系到其他的人。司马迁处理这样的问题，依然是从对各个有关人物的基本认识出发，安排或剪裁某些事实材料，使它们服务于各个人物形象的塑造。《魏公子列传》主要要写出一个谦虚下士的贵族公子形象，因而他就集中地叙述了这位公子怎样“自迎夷门侯生”和“从博徒卖浆者游”的故事。至于信陵君还有因为不肯容纳亡命的虞卿和魏齐，既为侯嬴所指责，终至引起魏齐“怒而自刭”一事，又有说魏安釐王不杀范痤及不可亲秦伐韩等事，都没有写。显而易见，信陵君的这些事，如果都写于本传，就要破坏这篇传记的意图，模糊这位贵族公子的主要特征。相反，前者写于《范雎列传》，却使范雎终于报仇的故事得以完整；后者写于《魏世家》，也充实了昏庸的安釐王的历史。又如《项羽本纪》写的是一位勇猛无前、摧毁暴力统治的盖世英雄；《淮阴侯列传》写的是一位善于将兵、多多益善的神奇将军。淮阴侯论项羽的许多个人弱点和政治军事上的错误，不写于《项羽本纪》而写于《淮阴侯列传》，真正是两全其美的写法。这样写既显示了军事家的韩信的非凡才能，也掩护了项羽的英雄威望遭受内行的敌手的打击。拿鸿门之宴这件事说，司马迁重复地写于《项羽本纪》、《高祖本纪》、《留侯世家》和《樊哙列传》，但详略不同，互为补充，也都是为各人物不同情况、不同特征决定的。司马迁这种安排和剪裁事实材料的方法，实质上也是一种褒贬的方法。《范雎列传》出信陵君不救魏齐一事，使我们恍然知道信陵君结交天下士还是有限度的。《淮阴侯列传》出韩信论项羽一事，也使我们看到项羽的作为不过尔尔。对于一般的历史人物，无论褒贬，他都要集中事实材料，以便突出那些人物的形象；但对于当代的统治者，如汉武帝及汉高帝，为了贬，他往往是分散事实材料的。

具体地描写历史事件，增强故事性，是司马迁写历史人物传记更为出色的一个方法。这种故事性的描写很多，以至我们可以无须举例。那些家喻户晓在文学艺术上发生长远而深刻的影响的历史事件，固然和它们的历史意义有极大关系，但是不可否认也一定和它们的故事性有重要关系。因为通过那样的有细节有场面的具体描写，使那些历史事件鲜明起来，使某些人物形象生动起来，因而给人们以深刻的、难忘的印象。比较一下鸿门之宴的几处详略不同的记事，就知道简单的梗概叙述和具体的故事描写，它们的动人力量是不能相比的。司马迁的许多篇人物传记的成功是和他在许多事件上的具体描写分不开的。《廉颇蔺相如列传》着重写的是廉、蔺二人怎样从初不相关到齐心抗秦的故事；其中写蔺相如完璧归赵和秦赵渑池之会，都是有声有色的场面描写。《魏其武安侯列传》着重写的是窦婴、田蚡两代贵戚之间争权夺利的故事；它原原本本地写出了窦婴、田蚡怎样先后得势，明争暗斗，终于招致同归于尽的祸害。其中田蚡拜会窦婴、田蚡婚礼宴客和东朝廷辩论几个场面，也都是生动的描写。通过这些描写，封建统治者内部这一斗争诸有关人物的嘴脸，也都刻画得清楚了。其他如著名的《刺客列传》、《游侠列传》、《魏公子列传》、《李将军列传》等也都是故事性很强的作品。

模拟或运用口语，在司马迁具体地描写事件中起了极大的作用。一般看来，《史记》的语言诚然是“文言”，不是“白话”，但它是接近口语的，是在口语的基础上产生的一种“文言”。元人王若虚曾经收集了某些例句，证明司马迁在写作上存在着“字语冗复”的毛病。[1]例如：

诸侯军无不人人惴恐。[2]

王欲召信拜之。……诸将皆喜，人人各自以为得大将。[3]

王若虚认为第一句里“无不人人”字意重；第二句里多“各自”字。如果依照王若虚的意见，把“诸侯军无不人人惴恐”改为“诸侯军无不惴恐”或“诸侯军人人惴恐”或“诸侯军惴恐”，把“人人各自以为得大将”改为“人人以为得大将”，虽然“简洁”些，但司马迁的通俗有力、接近口语的语言特点也就改掉了。王若虚所举的许多例子，恰恰证明司马迁的“文言”是在口语的基础上产生的，那些重复的词句是和口语习惯有关系的。许多事实证明，司马迁运用口语在描写人物上，是一种自觉的努力。他往往努力模拟人物的口吻，生动地刻画了人物的形象。

① 《滹南遗老集》卷十五。
② 《史记》卷七《项羽本纪》。
③ 《史记》卷九十二《淮阴侯列传》。

陈胜、吴广乃谋曰："今亡亦死，举大计亦死，等死，死国，可乎？"

召令徒属曰："公等遇雨，皆已失期。失期当斩。借第令毋斩，而戍死者固十六七；且壮士不死即已，死即举大名耳！王侯将相，宁有种乎？"[①]

这里，洪迈盛赞"叠用七死字"，"而不为冗复，非后人笔墨畦径所能到也"[②]。其实它们并没有什么奥妙，只是运用口语的自然语调，描写了农民起义的最初两个领袖下决心、鼓动"徒属"不要去送死而要起来反抗那种奋臂高呼的动人景况。司马迁写的许多人物，过了几千年，人们依然觉得如闻其声，如见其人，这是和他的模拟或运用口语的努力有极大的关系的。

综上所述，司马迁从根本的实录精神出发，首先他要选择或识别人物，从而选取其可信的和重要的事迹，适当地安排、剪裁，并加以一定的具体描写：这是司马迁写作历史人物传记的一个创造性的、典型化的过程。他给历史人物不是写履

---

① 《史记》卷四十八《陈涉世家》。

② 《容斋随笔》卷七。

历表，而是塑造形象。他写的许多人物不仅是实有的、互不相同的个别人物，而且是一定社会条件下具有典型意义的代表人物。他突出地写出了人物的重要方面，反映了复杂的、丰富的历史内容。由于他努力模拟或运用口语来描写人物，许多人物的个性和典型性更明显了，更加强了。因此，他的许多篇历史人物传记，不只是可信的、卓越的历史文献，而且也是可欣赏的、优秀的古典文学作品。司马迁真正第一次把文史巧妙地结合起来了。

原载《语文学习》一九五六年八月号

一九七九年二月修订

后记

司马迁的传记资料，主要的只有《史记》的《太史公自序》和《汉书》的《司马迁传》两篇，其他散见于《史记》的许多篇“论赞”和《史记》以外的几条，都是一些零碎的、不完整的。

写作历史人物的传记，大家知道，重要的应是叙述人物的具体事迹，从而塑造生动的鲜明的形象，得出确实可靠的结论。上述那点资料所反映的司马迁的生平活动，好像一棵丰满的大树，经过二千一百年的风霜雨露，脱落了无数枝叶，剩下的只有一些根干了。这就是说，我们今天所能看到的司马迁的全部事迹，不但许多细节不具备，即使作为一个简略的梗概看，也还是很不完整的。要想根据这些资料，写一本详实的司马迁的传记，无疑是有困难的。

人物传记基本上是属于历史科学的范畴的，它不允许驰骋想象。写《司马迁》也只能根据这点资料说话。空白的地方只好让它空白。

然而这点资料，当笔者要想充分利用的时候，立刻就又觉得，它们虽然说得很简单，但是却涉及了广大的知识领域，即涉及了整个的古代社会文化，牵连过广，以致茫无头绪。写《司马迁》，对笔者来说，根本上的问题，实在是学力不够。《司马迁》是需要也值得研究古代文化的专门家来写的。

写作时给笔者的工作以极大帮助的是诸家的年谱。其中特别应该提出的是王国维的《太史公行年考》，许多疑难问题，它差不多都解决了。

这本小书只是把那些分散零碎的资料，加以集中，加以必要的梳理和说明，期在充分地理解事实，使那些骨瘦如柴的事实多些血肉，使这位文化伟人的形象能够稍稍突出。同时它也企图通过那些梳理和说明能够反映当时社会情况的某些方面，以便代替那悬在一边的、社会背景的叙述。但是当笔者这样作的时候，常常感觉力不从心。

司马迁和《史记》是不可分的。《史记》的问题，从来很多，过去的考证、研究也是很多的。这本小书并不想把关于《史记》的问题全部解决，因此过去的那些考证、研究，实际需要参考的并不太多。它只是从司马迁出发，初步提出一些对于《史记》的看法。

章节的分量很不均衡，文字的叙述也很笨拙，这些都是本书显而易见的缺点。笔者只希望能对基本事实理解不错，而且把它们叙述明白，如此而已。

笔者过去没写过什么东西，写作和研究的经验都是很差的。这本小书从一九五四年初寒假里开始写，开学后由于备课紧张，就停止了。一九五四年暑假里又继续写，到九月底，大致是写完了。学力薄弱，而成书匆促，错误是绝对难免的。笔者诚恳地希望专家和读者多多地给以批评。

一九五四年九月二十七日初稿

十二月十五日修改稿

国家新闻出版广电总局
首届向全国推荐中华优秀传统文化普及图书

‖大家小书书目

经典常谈	朱自清　著
语言与文化	罗常培　著
习坎庸言校正	罗　庸　著　杜志勇　校注
鸭池十讲（增订本）	罗　庸　著　杜志勇　编订
古代汉语常识	王　力　著
国学概论新编	谭正璧　编著
文言尺牍入门	谭正璧　著
日用交谊尺牍	谭正璧　著
敦煌学概论	姜亮夫　著
训诂简论	陆宗达　著
金石丛话	施蛰存　著
常识	周有光　著　叶　芳　编
文言津逮	张中行　著
中国字典史略	刘叶秋　著

古典目录学浅说	来新夏　著
闲谈写对联	白化文　著
怎样使用标点符号（增订本）	苏培成　著
诗境浅说	俞陛云　著
唐五代词境浅说	俞陛云　著
北宋词境浅说	俞陛云　著
南宋词境浅说	俞陛云　著
人间词话新注	王国维　著　滕咸惠　校注
苏辛词说	顾　随　著　陈　均　校
诗论	朱光潜　著
唐诗杂论	闻一多　著
诗词格律概要	王　力　著
唐宋词欣赏	夏承焘　著
槐屋古诗说	俞平伯　著
词学十讲	龙榆生　著
词曲概论	龙榆生　著
中国古典诗歌讲稿	浦江清　著 浦汉明　彭书麟　整理

唐人绝句启蒙	李霁野　著
唐宋词启蒙	李霁野　著
古典文学略述	王季思　著　王兆凯　编
古典戏曲略说	王季思　著　王兆凯　编
唐宋词概说	吴世昌　著
宋词赏析	沈祖棻　著
道教徒的诗人李白及其痛苦	李长之　著
闲坐说诗经	金性尧　著
陶渊明批评	萧望卿　著
舒芜说诗	舒　芜　著
名篇词例选说	叶嘉莹　著
唐诗纵横谈	周勋初　著
楚辞讲座	汤炳正　著 汤序波　汤文瑞　整理
好诗不厌百回读	袁行霈　著
山水有清音 ——古代山水田园诗鉴要	葛晓音　著

门外文谈	鲁　迅　著
我的杂学	周作人　著　张丽华　编
论雅俗共赏	朱自清　著
文学概论讲义	老　舍　著
中国文学史导论	罗　庸　著　杜志勇　辑校
给少男少女	李霁野　著
鲁迅批判	李长之　著
英美现代诗谈	王佐良　著　董伯韬　编
三国谈心录	金性尧　著
夜阑话韩柳	金性尧　著
英语学习	李赋宁　著
漫谈西方文学	李赋宁　著
历代笔记概述	刘叶秋　著
笔祸史谈丛	黄　裳　著
古典诗文述略	吴小如　著
有琴一张	资中筠　著
鲁迅作品细读	钱理群　著
唐宋八大家 ——古代散文的典范	葛晓音　选译

红楼梦考证	胡　适　著	
《水浒传》与中国社会	萨孟武　著	
《西游记》与中国古代政治	萨孟武　著	
《红楼梦》与中国旧家庭	萨孟武　著	
《金瓶梅》人物	孟　超　著	张光宇　绘
水泊梁山英雄谱	孟　超　著	张光宇　绘
《红楼梦》探源	吴世昌　著	
《西游记》漫话	林　庚　著	
细说红楼	周绍良　著	
红楼小讲	周汝昌　著	周伦玲　整理
曹雪芹的故事	周汝昌　著	周伦玲　整理
古典小说漫稿	吴小如　著	
三生石上旧精魂 ——中国古代小说与宗教	白化文　著	
《金瓶梅》十二讲	宁宗一　著	
古体小说论要	程毅中　著	
近体小说论要	程毅中　著	
文学的阅读	洪子诚　著	
中国戏曲	么书仪　著	

中国史学入门	顾颉刚　著　何启君　整理
秦汉的方士与儒生	顾颉刚　著
三国史话	吕思勉　著
史学要论	李大钊　著
中国近代史	蒋廷黻　著
民族与古代中国史	傅斯年　著
五谷史话	万国鼎　著　徐定懿　编
民族文话	郑振铎　著
史料与史学	翦伯赞　著
唐代社会概略	黄现璠　著
清史简述	郑天挺　著
两汉社会生活概述	谢国桢　著
中国文化与中国的兵	雷海宗　著
两宋史纲	张荫麟　著
明史简述	吴　晗　著
北宋政治改革家王安石	邓广铭　著
从紫禁城到故宫——营建、艺术、史事	单士元　著
史学遗产六讲	白寿彝　著

司马迁之人格与风格	李长之　著
司马迁	季镇淮　著
唐王朝的崛起与兴盛	汪　篯　著
二千年间	胡　绳　著
论三国人物	方诗铭　著
考古发现与中西文化交流	宿　白　著
中国古代国家的历史特征	张传玺　著
艺术、神话与祭祀	张光直　著 刘　静　乌鲁木加甫　译
中国古代衣食住行	许嘉璐　著
中国古代史学十讲	瞿林东　著
黄宾虹论画	黄宾虹　著
中国绘画史	陈师曾　著
和青年朋友谈书法	沈尹默　著
中国画法研究	吕凤子　著
桥梁史话	茅以升　著
中国戏剧史讲座	周贻白　著
俞平伯说昆曲	俞平伯　著　陈　均　编

新建筑与流派	童　寯　著	
论园	童　寯　著	
拙匠随笔	梁思成　著	林　洙　编
中国建筑艺术	梁思成　著	林　洙　编
沈从文讲文物	沈从文　著	王　风　编
中国画的艺术	徐悲鸿　著	马小起　编
中国绘画史纲	傅抱石　著	
中国舞蹈史话	常任侠　著	
海上丝路与文化交流	常任侠　著	
世界美术名作二十讲	傅　雷　著	
中国画论体系及其批评	李长之　著	
金石书画漫谈	启　功　著	赵仁珪　编
吞山怀谷——中国山水园林的艺术	汪菊渊　著	
中国古代音乐与舞蹈	阴法鲁　著	刘玉才　编
梓翁说园	陈从周　著	
旧戏新谈	黄　裳　著	
民间年画十五讲	王树村　著	姜彦文　编
民间美术与民俗	王树村　著	姜彦文　编

长城史话	罗哲文　著
中国古园林概说	罗哲文　著
现代建筑奠基人	罗小未　著
世界桥梁趣谈	唐寰澄　著
如何欣赏一座桥	唐寰澄　著
桥梁的故事	唐寰澄　著
园林的意境	周维权　著
万方安和 ——皇家园林的故事	周维权　著
现代建筑的故事	吴焕加　著
中国古代建筑概说	傅熹年　著
国学救亡讲演录	章太炎　著　蒙　木　编
简易哲学纲要	蔡元培　著
大学教育	蔡元培　著 北大元培学院　编
老子、孔子、墨子及其学派	梁启超　著
中国政治思想史	吕思勉　著
天道与人文	竺可桢　著　施爱东　编

春秋战国思想史话	嵇文甫　著	
晚明思想史论	嵇文甫　著	
新人生论	冯友兰　著	
中国哲学与未来世界哲学	冯友兰　著	
谈美书简	朱光潜　著	
中国古代心理学思想	潘　菽　著	
民俗与迷信	江绍原　著	陈泳超　整理
佛教基本知识	周叔迦　著	
儒学述要	罗　庸　著	杜志勇　整理
希腊漫话	罗念生　著	
佛教常识答问	赵朴初　著	
大一统与儒家思想	杨向奎　著	
孔子的故事	李长之　著	
西洋哲学史	李长之　著	
乡土中国	费孝通　著	
社会调查自白	费孝通　著	
经学常谈	屈守元　著	
墨子与墨家	任继愈　著	
汉化佛教与佛寺	白化文　著	
中西之交	陈乐民　著	

出版说明

“大家小书”多是一代大家的经典著作，在还属于手抄的著述年代里，每个字都是经过作者精琢细磨之后所拣选的。为尊重作者写作习惯和遣词风格、尊重语言文字自身发展流变的规律，为读者提供一个可靠的版本，“大家小书”对于已经经典化的作品不进行现代汉语的规范化处理。

提请读者特别注意。

北京出版社